Brasil
Brazil

PORTUGUÊS–INGLÊS
PORTUGUESE–ENGLISH

Manole

1ª edição – 2000
1ª reimpressão – 2003
2ª edição – 2007
Direitos adquiridos
para a língua portuguesa pela:
Editora Manole Ltda.
Av. Ceci, 672 – Tamboré
06460-120 – Barueri – SP – Brasil
Tel: (11) 4196-6000
Fax: (11) 4196-6021
www.manole.com.br
info@manole.com.br

Impresso em Cingapura
Printed in Singapore

Texto
 Alberto Taliani
Design gráfico
Anna Galliani
Mapa
Arabella Lazzarin

Text
Alberto Taliani
Graphic design
Anna Galliani
Map
Arabella Lazzarin

Translation from Italian to English
Antony Shugaar

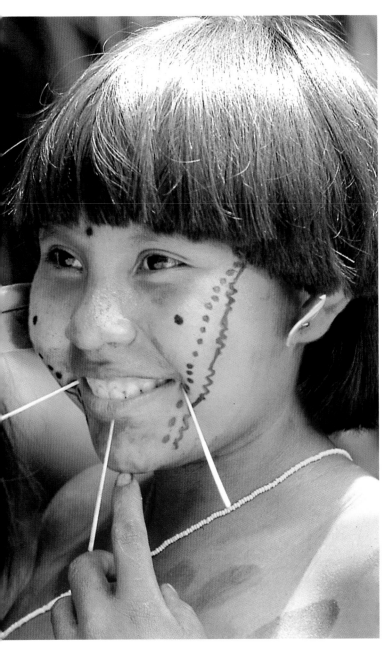

1 Esta dançarina, vestindo um fascinante traje colorido e cheio de lantejoulas, é uma das famosas rainhas do carnaval do Rio de Janeiro. A fantasia, os adereços e, principalmente, a energia necessária (o espetáculo dura horas), demonstram o esforço e tempo despendidos pelas várias escolas de samba para se prepararem para o desfile no famoso Sambódromo.

2–3 É de fato impossível confundir o Rio de Janeiro com qualquer outra cidade do mundo, independente do quanto ela seja bonita. A magnífica baía que hoje acomoda a extensa e dispersa faixa urbana carioca foi vista pela primeira vez no distante janeiro de 1502, quando os navios portugueses da expedição de Américo Vespúcio adentraram a área então chamada – ainda hoje é assim – de Baía de Guanabara, imaginando se tratar de um estuário.

4–5 Durante a estação chuvosa, o Rio Negro, que flui em direção ao Rio Solimões, formando o Rio Amazonas, e os muitos outros rios da bacia amazônica (são mais de 1100) transbordam, submergindo muitos quilômetros quadrados da floresta que os cerca.

6–7 As águas do Rio Iguaçu, após percorrerem mais de novecentos quilômetros, logo antes de desaguarem no Rio Paraná, mergulham setenta metros, como que engolidas por uma fenda nas rochas, para dentro da Garganta do Diabo, um dos mais espetaculares pontos da catarata, na divisa entre Brasil, Paraguai e Argentina. Com aproximadamente três quilômetros de frente, e com uma vazão que poderia encher seis piscinas olímpicas em um segundo, essa catarata é um dos fenômenos naturais mais famosos do Brasil.

8 Na cultura dos índios ianomamis, os pequenos palitos de madeira que ornamentam diferentes partes de seus rostos simbolizam o seu relacionamento com os espíritos das florestas: espíritos que controlam tudo e podem trazer tristeza ou má sorte. Quando isso ocorre, como quando alguma doença recai sobre um membro da tribo, o pajé ou médico da tribo é chamado.

1 *This dancer, wearing a dazzlingly colorful and sequined costume, is one of the famous rainhas at the Carnival in Rio de Janeiro. The spectacular costume, the graceful bearing, and even the physical stamina required are indicative of the time and effort that the various groups of the "samba schools" lavish on the preparation of the parades at the so-called Sambodrome. This involves twelve months of very hard work, with rehearsals nearly every day, and tough competition among the loveliest girls, who all want to appear: the carnival is also a festival of beauty.*

2–3 *It is really impossible to confuse Rio de Janeiro with any other city in the world, as beautiful as another may be. The magnificent bay that today accommodates the spread-out, disjointed Carioca urban sprawl, was first seen in distant January 1, 1502, when Portuguese ships from Amerigo Vespucci's expedition entered what was called – and is still named – Guanabara Bay, mistaking it for an estuary.*

4–5 *During the rainy season, the Rio Negro, which flows into the Rio Solimões on a line with Manaus, forming the Amazon river, and the many other rivers in the Amazon basin (there are no fewer than eleven hundred), overflow into the surrounding forest, submerging many square miles.*

6–7 *The waters of the River Iguaçu, after flowing for over six hundred miles, just before flowing into the river Paraná, plunge suddenly for two hundred and thirty feet, straight down, almost as they have been swallowed up by a cleft in the rocks, into the "Garganta do Diabo", the Throat of the Devil, one of the most spectacular sections of the waterfall, on the border between Brazil, Paraguay and Argentina; nearly 2 miles of frontage of the falls, and the volume of flow, which could fill six Olympic swimming pools in a second, make the waterfall one of the most renowned natural phenomena in Brazil.*

8 *In the culture of the yanomami indians, the little wooden spikes driven through various portions of their faces symbolize the relationship with the spirits of the forest: spirits that control everything and can cause unhappiness or misfortunes. When this happens, as when illness befalls a tribe member, one must turn to the shaman, or witch doctor of the tribe.*

FORTALEZA

DO NORTE

RAÍBA

MBUCO

GOAS OLINDA

RECIFE

MACEIÓ

ERGIPE

SALVADOR

ía deTodos os Santos

ÍRITO SANTO

andeira

JANEIRO

9 As efígies dos quatro evangelistas dão as boas vindas aos devotos na entrada da Catedral de Brasília, desenhada pelo arquiteto Oscar Niemeyer. Os "raios" que coroam a estrutura fazem alusão aos dedos das mãos, erguidos para o céu em oração.

12–13 Ouro Preto, com suas espetaculares obras-primas do barroco colonial, aparece como por mágica entre os montes verdes.

9 *Effigies of the four evangelists welcome worshippers on the way to the Cathedral of Brasília, designed by the architect Oscar Niemeyer. The "rays" crowning the structure allude to the fingers of hands raised to the sky in prayer.*

12–13 *Ouro Preto, with its spectacular masterpieces of colonial baroque, appears as if by magic amongst the green hills.*

A floresta brasileira esconde, sob uma densa e impenetrável cobertura, um labirinto de plantas equatoriais, que prosperam graças a elevada umidade, onde os arbustos competem pela pequena quantidade de luz que consegue penetrar através das folhas.

The Brazilian rainforest conceals beneath the dense and impenetrable canopy a labyrinth of equatorial plants, which prosper due to the elevated humidity of the underbrush, competing among themselves for the small amount of light that filters through the leaves.

Introdução

O casco branco da "gaiola" (uma espécie de barco), batizada de Tuna, desliza pelo rio que faz seu caminho pela imponente floresta. Nas margens, as praias são infinitas. A corrente forma bancos de areia onde antes passava água; existem trechos rasos e imensos igarapés, grandes áreas inundadas, lagos formados na época da cheia – o quintal de crocodilos e piranhas.

O Rio Negro, escuro como nanquim – como seu próprio nome sugere – devido às plantas e folhas que se decompõem em suas águas, percorre o oceano verde da floresta Amazônica, no norte do Brasil. Apenas algumas dezenas de quilômetros à frente, encontraremos a "metrópole da floresta", onde, como que acompanhando Manaus, um amarelado rio flui de encontro ao Rio Negro: é o Rio Solimões, o nome do Rio Amazonas neste trecho. Nesse universo líquido, o negro e o amarelo mesclam-se preguiçosamente, quase relutantes. Esse é o famoso encontro das águas. É aqui que o Rio Amazonas assume com completa dignidade o seu nome. A gaiola navega, determinada, no silêncio interrompido somente pelos sons vindos da deusa floresta. A imensidão e o isolamento da Amazônia só podem ser compreendidos quando sentidos pelo ser humano; são mais de 6 milhões de quilômetros quadrados de selva.

A bacia do Rio Amazonas reúne mais de 1.100 rios, que ocupam dois quintos de todo o continente sul-americano.

A vida vai fluindo lentamente no pequeno mundo flutuante desse barco, carregado de passageiros dirigindo-se a Manaus, a capital do Amazonas.

Esses passageiros embarcaram alguns dias antes em Tapurucuara, na base da Serra Parima, a fronteira natural entre Brasil e Venezuela. Os passageiros guardaram suas bagagens em uma espécie de grade de metal, na parte inferior do barco. Então, cada um deles procurou um canto em um dos três pisos desse barco, que não possui cabinas. As pessoas dormem em redes. Jogam cartas ou damas e bebem cerveja. Contam-se histórias inacreditáveis de garimpeiros em busca de ouro e diamantes, engolidos pelo Inferno Verde. Vamos deixar claro: a vida é dura na Amazônia; é uma luta diária pela sobrevivência, o que não deixa de ser uma descrição adequada para a vida das tribos indígenas sobreviventes – pouco mais de 350 mil indivíduos.

As pessoas trabalham e vivem em um ambiente caracterizado pelo isolamento e por grandes distâncias. A cada dia, uma pequena nova aventura pode surgir. Até mesmo a rotina de abastecer nosso barco com provisões frescas pode trazer o inesperado.

E não é raro presenciarmos uma gaiola atracada em uma das margens, e os passageiros e a tripulação desembarcando para participar da captura de um boi errante, que é laçado, morto e dividido em peças de carne no próprio local. E a Tuna continua sua jornada.

A monotonia da viagem pelo rio é interrompida por algumas diversões; de tempos em tempos, um navio a vapor passa, saudando-nos com seu apito.

Após acompanhar uma última curva desse sinuoso rio, a jornada chega ao final. Aqui é Manaus. Estaleiros com pilhas de madeira, barcos sendo construídos. Barcaças flutuantes, onde se pode abastecer o tanque com gasolina ou querosene. Um grande número de barcos grandes e pequenos, carregados com frutas exóticas, raízes de guaraná e barris de peixes. Os barcos vão alinhando-se um após o outro, formando uma espécie de mercado flutuante. Mais adiante, observamos grandes navios de cruzeiro e navios da marinha brasileira, todos ancorados, enquanto os barcos-tanque e barcas com provisões são levados de lá para cá por rebocadores que subiram o Amazonas desde Belém, onde o rio alarga-se gigantescamente, fluindo para o Oceano Atlântico; um estuário tão grande que é lá que se localiza uma das maiores ilhas de nosso planeta, a Ilha de Marajó, com cerca de 50 mil quilômetros quadrados. Manaus está no coração da Amazônia, a apenas 1.600 quilômetros de Belém. É também uma ilha, só que dentro do Inferno Verde. Já foi destino final e ponto de partida para exploradores e conquistadores.

Nos dias de hoje, Manaus é um grande armazém onde qualquer coisa pode ser encontrada, para onde tudo é enviado e engolido pela floresta. O símbolo da cidade é o Teatro Amazonas, em estilo neoclássico, uma construção extraordinária, com uma cúpula amarela, verde e azul, mármore italiano, madeira da floresta e candelabros magníficos. Foi inaugurado em 1896, sob a tutela de grandes fazendeiros, os barões da borracha, pessoas extremamente ricas que acumularam fortunas entre o fim do século XIX e o início do século XX. Tudo era trazido da Europa.

As mercadorias chegavam pelo rio, após a travessia do oceano, a preços exorbitantes. Mas quem se importava? Havia látex de sobra fluindo, alimentando a nova indústria da borracha. Então veio o colapso. Os ingleses quebraram o monopólio brasileiro, contrabandeando sementes e transferindo a produção de borracha para lugares como Ceilão, Malásia ou Indonésia. Esse foi o começo da guerra da borracha, e os preços despencaram, junto com a riqueza dos barões. Entre as décadas de 1920 e 1930, veio um longo declínio de Manaus e, por conseqüência, do Brasil, da natureza e da aventura.

Em Manaus, podemos encontrar locais que são ao mesmo tempo uma favela e um parque de diversões, com jogos de azar, onde freqüentemente se é enganado e perde-se tudo. Caminhões carregados de mercadorias são desembarcados de uma balsa. Agora que a estação chuvosa se foi, eles podem arriscar-se a utilizar as estradas, parte asfaltada, parte não, com trechos muitas vezes intransponíveis, entre Manaus e Porto Velho – é a Transamazônica, mais de oitocentos quilômetros de estrada na direção sul.

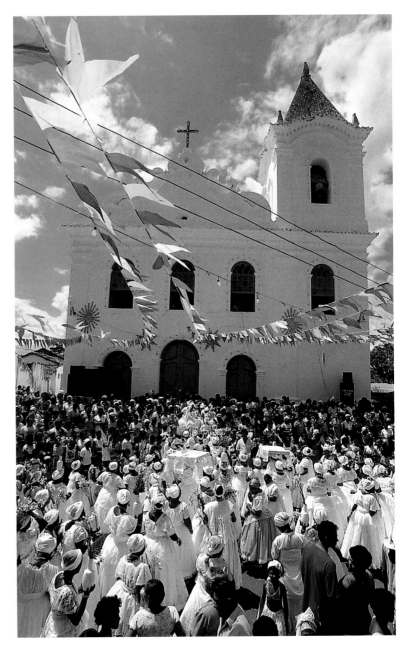

14–15 As vestimentas brancas das baianas contrastam com os diversos tons de seus colares. Esses são os brasileiros de ascendência africana, cujos antepassados foram escravizados, após serem seqüestrados de seu continente nativo pelos portugueses. Suas tradições, que sofreram considerável sincretismo, podem ser observadas nas festas tradicionais; a Lavagem do Bonfim é um dos eventos mais populares celebrado pelas pessoas de Muritiba, em Salvador, Bahia.

14–15 *The white costumes of the women of Bahia contrast with their multi-hued necklaces. This is the Brazilian people of African descent, the children of former slaves, kidnapped from their native continent by the Portuguese. Their traditions live on in the religious festivals: the* Lavagem do Bonfim *is one of the most popular events, celebrated by the people of Muritiba, in Salvador, Bahia.*

A Amazônia é a última fronteira do Brasil moderno. Daqui pode-se iniciar uma grande viagem de aventura para descobrir o "continente brasileiro". É uma viagem na qual as almas alegres e tristes dos brasileiros alternam-se, na qual há o desencanto e a saudade. Este é um país único: só é possível amá-lo e compreendê-lo se nos dispusermos a aceitá-lo como ele é – sem compromissos e sabendo que a realidade é uma mistura de glamour e miséria.

O Brasil possui mais de 186 milhões de habitantes num território de 8.547.404 quilômetros quadrados (é o quinto maior país do mundo), imensas reservas naturais, mas também com uma grande dívida externa e interna. Arranha-céus e regiões extremamente modernas são intercaladas por favelas, penduradas nas encostas dos morros e nas periferias das cidades. É assim que o Brasil é. Sua natureza é contrastante; da chuva na Amazônia às terras selvagens encharcadas do Pantanal e Rondônia. Do verde mato-grossense às pradarias dos rebanhos gaúchos.

As cidades também são distintas. Brasília, uma metrópole hipermoderna, planejada por Oscar Niemeyer, sob o comando do presidente do Brasil, Juscelino Kubitschek, que a inaugurou, em 1960, como capital da República Federal; São Paulo, a metrópole que é a locomotiva industrial e financeira da nação e capital de um estado onde concentram-se as plantações de café, residem mais de 18 milhões de habitantes e, vista de avião, parece uma imensidão de arranha-céus, casas e favelas; o Rio de Janeiro, doce e sensual, como que sobreolhando a Baía de Guanabara, "a mais bela da Terra", disposta entre as montanhas de pedra escura do Pão de Açúcar e o verde esmeralda das florestas e árvores, como a da Tijuca e a do Corcovado; Salvador, colonial e decadente, uma cidade esplêndida, com tesouros da arte e da arquitetura, a capital negra descrita tão bem por Jorge Amado. O resultado foi uma espécie de "contaminação cultural" entre portugueses, índios, africanos, imigrantes europeus, japoneses e mestiços – os brasileiros têm orgulho da sua unidade como nação; saúdam sua bandeira, são fanáticos pela seleção brasileira de futebol, dançam samba e comemoram o carnaval.

Tudo isso pode ser descoberto em uma viagem através do Brasil, que possui alguns destinos emblemáticos, como Manaus e a Amazônia, e também Salvador. Esta é a cidade de Jorge Amado e de incontáveis histórias, uma parada obrigatória na estrada da memória, uma mistura do antigo com o novo; um rosto negro e uma alma africana. Salvador é uma cidade com muita vida e totalmente imprevisível. A cidade baixa concentra-se ao redor do antigo porto e de lá espalham-se calçadões e praias pela orla marítima. Pode-se pegar o elevador Lacerda, que sobe aproximadamente setenta metros e nos leva a um mirante de onde é possível avistar a cidade colonial: igrejas, conventos e palácios da nobreza.

Mas o verdadeiro "segredo" da Bahia é outro, e pode ser achado nos bairros mais pobres, no Rio Vermelho, no mar, onde é celebrada a festa de Iemanjá, a deusa do mar, o culto de Xangô, o deus do trovão, ou de Orixalá, a divindade suprema. Esses são deuses e deusas do candomblé, a religião de origem africana que misturou elementos da África, da Igreja Católica e de rituais indígenas, com cada divindade representando tanto a tradição tribal quanto um santo católico. E a África sobrevive na capoeira, a espetacular mistura entre dança e luta; na culinária, com a moqueca, um prato feito de peixe e óleo de dendê, e com o vatapá, feito de camarão, pão, peixe, coco e leite de coco.

Não existe um lugar, uma cidade ou uma pequena enseada de areia na direção de Maceió ou Fortaleza, na costa nordestina, que não tenha guardada uma surpresa ao viajante. E uma outra surpresa interminável pode ser encontrada no Brasil da música, da alegria e do carnaval. "Olha que coisa mais linda, mais cheia de graça, é ela menina que vem e que passa, num doce balanço a caminho do mar..." – e assim se inicia o mito criado por Vinícius de Moraes, que ainda sobrevive e prospera. Inclusive, a garota de Ipanema da famosa canção, e a própria bossa-nova, o ritmo da música tropical da década de 1950, com músicos como Vinícius, Tom Jobim e João Gilberto, se mantêm como símbolos da alma do Rio de Janeiro após todos esses anos.

E o Rio não é uma cidade maravilhosa? A espetacular Baía de Guanabara e suas ilhas, que podem ser admiradas do Corcovado, aos pés do Cristo Redentor, e do Pão de Açúcar, será que existe algum outro lugar como esse em nosso planeta? Aqui, mais uma vez, temos uma outra amostra da "magia" brasileira, o Rio e seu amor à vida, às longas noites, aos cinco dias mais loucos do mundo entre a Avenida Atlântica e o Sambódromo, onde desfilam as escolas de samba.

É essa imagem que todos desejam ver do Rio e do Brasil. Mas as coisas não são assim tão simples e despreocupadas. Tudo que se precisa fazer é explorar o outro lado da cidade, onde as luzes não brilham tanto. Mesmo assim, encontraremos no começo da manhã, quando as ruas ainda estão vazias, um insistente balanço de samba, um homem caminhando para o seu trabalho batucando em uma garrafa de Coca-Cola com uma colher. Esse homem saiu de uma favela, precariamente instalada na encosta de um morro, de onde se avista a Barra da Tijuca, ou Botafogo, ou Flamengo, talvez. Mesmo assim, nada irá tirar desse homem o amor pela vida, algo que tem o gosto da caipirinha, o drinque nacional, preparado no bar em que Vinícius de Moraes compôs Garota de Ipanema. Ele foi seduzido pela beleza de uma garota na praia. E do mesmo modo todos são seduzidos pela beleza do Brasil.

16-17 A Capela Dourada de Recife, capital de Pernambuco, uma obra-prima da era barroca colonial que floresceu aqui durante os séculos XVII e XVIII. Esculturas em madeira tropical, trabalho ornamentado e retratos de Cristo em lágrimas são exemplos típicos da expressão religiosa dos colonizadores portugueses. Entre os artistas mais famosos, devemos mencionar Francisco Lisboa, conhecido como Aleijadinho, arquiteto e escultor, o mais importante personagem do barroco colonial português.

16-17 *The Golden Chapel of Recife, capital of Pernambuco, is a masterpiece of the colonial baroque that flourished here during the seventeenth and eighteenth centuries. Carvings in tropical hardwoods, stuccoes, gilded work, and portraits of a weeping Christ are typical examples of the religious expression of the Portuguese colonists. Among the best known artists, we should mention Francisco Lisboa, known as Aleijadinho, an architect and sculptor, the greatest figure of Portuguese colonial baroque.*

Introduction

The white hull of the gaiola (riverboat) named Tuna slips through the current of the river that runs through the Great Forest. Along the banks are endless beaches and mangrove prop roots.

The sweeping current creates sand banks out of rushing waters; there are treacherous shallows and immense igarapés, the great flood-lakes caused by the terrible high waters of the rainy season, the playland of crocodiles and piranha fish.

The Rio Negro, black as ink – as its name suggests – because of the tannin produced by the rotting plants and leaves, runs through the green ocean of the Amazonian forest, in northern Brazil. Just a few dozens miles further on, and one will come to the "metropolis of the rain forest", on an approximate line with Manaus, where the yellowish silty waters of another immense river flows into the Rio Negro: the Rio Solimões, which is the Brazilian name for the Amazon up to this point. This is a liquid universe where the black and the yellow mix lazily, almost reluctantly – the so-called encontro das águas, or meeting of the waters. And it is here that the Amazon River assumes its name in the full dignity of its renown. The gaiola chugs along determinedly, broken only by the sounds of the dense rain forest, or selva. The immensity and isolation of the Amazon cannot help but be felt by a human being: about two-and-a-half million square miles of jungle.

The Amazon river basin gathers the flow of eleven hundred rivers, and occupies two-fifths of the entire continent of South America.

Life flows slowly in the small floating world of the riverboat, packed with passengers heading to Manaus, the capital of the Amazon basin.

These passengers boarded a few days earlier at Tapurucuara, at the base of the Serra Parima, which marks the watershed between Brazil and Venezuela. They stowed their baggage in a huge cage with iron bars, in the middle of the lower deck. Then each of the passengers chose a corner on one of the three passenger decks, on this riverboat with no cabins. People sleep in hammocks. They play cards or checkers, and drink beer. They tell unbelievable stories about prospectors searching for gold or diamonds, swallowed up by the Green Inferno. Let it be clear – life is harsh in the Amazon: a daily struggle to survive, which is an adequate description of the lives led by the last dwindling tribes of Indians – just a few more than three hundred and fifty thousand individuals.

People work and live in an environment made up of isolation and great distances. Every day, one can happen upon a little adventure. Just the apparently workaday task of supplying an Amazon riverboat with fresh provisions can produce the unexpected.

And so it may happen – and it frequently does – that one sees a gaiola moored along the river bank, and the passengers and crew going ashore to engage in the risky and perilous capture of a solitary bull, which is

18–19 A gaiola, típico barco de rio do Norte do Brasil, é comprida, possui dois ou três pisos para passageiros, mas nenhuma cabina. Na bacia amazônica, esse é o meio de transporte mais comum; os barcos cobrem milhares de milhas.

20–21 Pequenas enseadas de areia, pedras pretas e vermelhas e faróis são características típicas da costa brasileira.

22–23 Todos estão aproveitando o espetacular sol brasileiro, esticando-se nas areias da praia do Leblon, no Rio de Janeiro; assim como Copacabana e Ipanema, esse é um local de ponto de encontro durante o dia, um lugar para se divertir.

24–25 Na Barra da Tijuca, mulheres vestem roupas brancas em rituais que evocam a deusa do mar, Iemanjá, após arremessarem flores e presentes às águas.

18–19 A broad beam and a shallow draft, two or three passenger decks but no cabins: the gaiola is the typical Brazilian riverboat. In the Amazon basin it is the most common means of transport: riverboats cover the watercourses for thousands of miles.

20–21 Sandy inlets, red and black rocks, white lighthouses on promontories – these are all typical features of the Brazilian coastline.

22–23 Everyone is taking the spectacular Brazilian sun, lying on the sands of the beach of Leblon, in Rio de Janeiro: with Ipanema and Copacabana this is a daytime meeting spot, a place of fun and excitement.

24–25 At Barra da Tijuca, women wearing the ritual white outfit call on the goddess of the sea, Iemanjá, after tossing flowers and gifts into the waters.

slaughtered by brute force and hammer-blows, and butchered on the spot. Then the Tuna puffs and pants her way back onto the river. The monotony of the voyage is interrupted by occasional diversions: from time to time one steams past other riverboats chugging upstream, with an exchanging of noisy salutes from the steam whistle.

After a last meandering bend in the river, the journey comes to an end. Here is Manaus. Construction yards with towering heaps of lumber, where riverboats are built, floating pontoons where one can fill the tank with gasoline or kerosene. A teeming traffic of small and large boats, loaded down with exotic fruit, tubs of fish, and guaraná roots. They tie up, several boats deep, at the quaint floating marketplace. Further along, freighters, cruiseships, and ships from the Brazilian navy, are all at anchor, while pontoons and barges loaded with freight and supplies are pushed here and there by the tugboats that have steamed up the Amazon from Belém, where the river widens enormously and flows into the Atlantic Ocean: an estuary so huge that here is one of the largest islands on earth, Marajó, nineteen thousand square miles. Manaus is still at the heart of the Amazon: just over a thousand miles from Belém. It too is an island, but awash in the Green Inferno. It was once frontier land, a point of departure for exploration and conquest.

Nowadays, Manaus is an immense "backline", the heart of traffic and trade on the Amazon, a warehouse-city where one can find anything, and where everything is shipped off and swallowed up by the forest. The emblem of the town is the Teatro Amazonas, in neoclassical style, with a yellow, green, and blue cupola, an impressive double colonnade on the facade, Italian marble, the tropical hardwoods, and the glitter of the lights. It was inaugurated on 1896 on the orders of the fazendeiros, the rubber barons, incredibly wealthy owners of plantations who accumulated vast fortunes during the period between the late nineteenth century and the early twentieth century. Everything was brought here by ship from Europe.

Everything came up the river, following its ocean crossing, at dizzying prices. But who cared? There was plenty of white latex flowing in to feed the new rubber industry. Then came the collapse. The Britsh broke the Brazilian monopoly by smuggling out seeds and transplanting rubber in Ceylon, Malaysia, and Indonesia. That was the beginning of the rubber wars, and the prices plummeted, along with the enormous fortunes of the "rubber barons". Between the Twenties and the Thirties came a long decline; a decline of Manaus, and therefore of the Brazil, of nature and adventure. One lands amidst a shanty-town and amusement park, where one can gamble and be defrauded rapidly and often. Trucks loaded with merchandise are off-loaded from a raft. Now that the rainy season is over, they can risk running over the road,

partly paved and partly dirt, often partly impassable, between Manaus and Porto Velho – the Transamazonian Highway, over five hundred miles to the south.

The Amazon is the last frontierland in modern Brazil. From here, one can begin an intriguing "voyage of adventure" to discover the "continent of Brazil". It is a voyage through the alternately cheerful and sorrowful souls of the Brazilians, rocking from desencanto and saudade. This is a single country: one can love it and understand it only by accepting it just as it is – without compromises, and remaining well aware of the fact that reality is a mix of glamour and misery.

Brazil has more than 186 million inhabitants – a territory that covers 3,286,475 square miles (making it the fifth-largest country on earth) – immense natural resources, but also a large foreign and private debt. Skyscrapers and super-modern areas are bounded by favelas clinging to the hillsides and on the outskirts of town. That is just how Brazil is. It is diverse in natural terms: from the Amazon rain forests to the wild marshlands of Pantanal and Rondônia; from the lush greenery of the Mato Grosso to the endless prairies ridden by the gaúchos and the herds of the Rio Grande do Sul.

The cities, too, are as diverse as can be: Brasília, a hypermodern metropolis designed by Oscar Niemeyer at the command of the president of Brazil Juscelino Kubitschek, who inaugurated it in 1960 as the capital of the federal republic; São Paulo, a megalopolis that is the nation's industrial and financial locomotive, and capital of the state in which coffee plantations are concentrated, with over 18 million inhabitants, appears from the airplane as an endless expanse of skyscrapers, houses, and favelas, or shanty-town slums; Rio de Janeiro, sweet and sensual, overlooking the bay of Guanabara, "the loveliest on earth", set amidst sugarloaf mountains of black rock and the emerald green of forests and trees, like that of Tijuca and Corcovado, or Hunchback; Salvador da Bahia, colonial and decadent, a splendid city of art treasures and architecture, the capital of negritude described so well by Jorge Amado. The result is a "cultural contamination" among Portuguese, Indians, Africans, new immigrants from Europe and Japan, and mestizos – all Brazilians recognize with pride their unity as a nation: they salute the flag, they root for the national soccer team, they dance the samba and celebrate carnival.

All of this can be found in one's voyage of discovery through Brazil, which has its emblematic destinations, such as Manaus and the Amazon, but also Salvador da Bahia (which everyone here calls Salvador). It is the city of Jorge Amado and of countless classic stories, and a fundamental stopover on the route into memory, a mingling between the old and the new: a black face and an African soul. Bahia is one of the liveliest and unpredictable of cities. The lower city is concentrated around the old port, and from there spread out the boardwalks and beaches along the waterfront. One can take the Elevador Lacerda, an elevator that rises some 236 feet, and get a view of the colonial city: churches, convents and the palaces of nobility.

But the true "secret" of Bahia is another, and it can be found in the poorer quarters, in Rio Vermelho, on the sea, where they celebrate the feast of Iemanjá, the goddess of the sea, or the cult of Xangô, the god of thunder, or Orixalá, the supreme deity. These are the gods and goddesses of candomblé, the religion of African origin that led to a fetish cult combining African, Indian, and Roman Catholic elements, accepted by the church, so that each deity represents both tribal tradition and a Catholic saint. And Africa survives in the capoeira, the spectacular fighting dance; in the cooking, with moqueca, a dish made of fish and palm oil (dendê), and vatapá, made up of shrimp, bread, fish, coconut, and coconut milk.

There is not a place, a city, or a solitary sandy inlet in the direction of Maceió or Fortaleza, on the coast of the Nordeste, that does not contain a surprise or a discovery for the wayfarer. And another unending surprise can be found in the Brazil of music and cheerfulness, of the carnival. "Tall and tan and young and lovely, the girl from Ipanema goes walking, and when she passes, each one she passes, goes ah..." – thus goes the myth created by Vinícius de Moraes, which still survives and prospers. Indeed, the girl from Ipanema of the famous song, and the bossa-nova itself, the rhythm of the school of tropical music of the Fifties, with such maestros as Vinícius, Jobim and João Gilberto "remain" the emblem and the soul of Rio de Janeiro after all these years.

Is Rio not a maravilhosa city? The spectacle of the bay of Guanabara and its islands, which can be admired from the Corcovado, at the foot of Christ the Redeemer, and the Sugarloaf, is it perhaps not unrivalled on earth? Here, once again, is another sampler of Brazil's "magic". Rio and its love of life, the long nights, the five craziest days in the world between Avenida Atlântica and the Sambódromo, where the grupos of the carnival pass by in review.

And perhaps this is the image that everyone wishes to see of Rio and Brazil. Things are not that simple and carefree, however. All one need do is to explore the other section of the town to discover a different dimension of the city, more relaxed and less glittering. Still, one has to wonder why, when one emerges from one's hotel early in the morning, when the streets are still empty, there is an insistent little air of samba, played by a man on his way to work, on a Coca-Cola bottle with a spoon.

The man has walked down from a favela perched precariously on the hill that overlooks Barra da Tijuca, or else from Botafogo or from Flamengo, perhaps. Still, nothing can take away the man's love of life, something like the taste of a glass of caipirinha, the national cocktail, sampled at a table in the bar where Vinícius de Moraes composed the Girl from Ipanema. He was seduced by the beauty of a girl on the beach. And in the same way, one can be seduced by beauty of Brazil.

Cidades Antigas e Modernas
Ancient and Modern Cities

26 *acima* Esta vista aérea da capital do Paraná, Curitiba, com uma população de mais de um milhão e meio de pessoas, revela o *layout* moderno e avançado de uma das cidades mais bem-planejadas do Brasil.

26 *abaixo* O mercado do Ver-o-Peso é um dos mais pitorescos cantos da antiga Belém, capital do Pará e porto estratégico na boca "rio-mar" do Amazonas. A arquitetura colonial da Cidade Velha é bastante característica e marcante.

27 Os morros de granito escuro, cujo mais alto é o Pão de Açúcar, delineiam a fronteira norte da praia de Copacabana, lugar cheio de turistas que se hospedam nos maravilhosos hotéis que se alinham na Avenida Atlântica.

26 top *This aerial view of the capital of Paraná, Curitiba, with a population of over a million and a half, reveals the modern layout of one of the most forward-looking and well-planned cities in Brazil.*

26 bottom *The market of Ver-o-Peso is one of the most picturesque corners of old Belém, capital of Pará and the strategic port at the mouth of the "river-sea", the Amazon. The colonial architecture of Cidade Velha is distinctive and remarkable.*

27 *The dark granite* morros, *the tallest of which is the Sugarloaf, or Pão de Açúcar, mark off the northern boundary of the beach of Copacabana, the historic stomping gound of the cariocas and the tourists who crowd the great hotels that line the Avenida Atlântica.*

Brasília, a utopia realizada
Brasília, utopia attained

28-29 O coração político e administrativo do Brasil está em Brasília, capital federal desde 1960. Vista de cima, a cidade tem o formato de um avião, cuja cabine é representada pela Esplanada dos Ministérios, pela Praça dos Três Poderes – representada pelo Palácio do Planalto, residência presidencial, pelo Palácio do Congresso (visto no centro da foto, com as "torres gêmeas" no ponto mais alto) e pelo Palácio da Justiça. A cidade, construída em apenas três anos ao redor de um imenso lago artificial criado para tornar o clima menos seco, foi projetada pelo urbanista Lúcio Costa, pelo arquiteto Oscar Niemeyer e pelo paisagista Burle Marx. De linhas altamente modernas, foi desenhada para carros e burocratas e não para a escala humana, considerando-se as enormes distâncias entre áreas adjacentes, nas quais estão centralizados tipos específicos de atividades comerciais e de serviços. A tentativa de dar ao Brasil uma capital geograficamente central e futurística, feita sob medida para o "sonho" do Brasil do terceiro milênio, foi muito bem sucedida do ponto de vista teórico, mas não em termos práticos – acima de tudo, para uma cidade que já tem mais de dois milhões de habitantes.

29 *acima e abaixo* Mestre em combinar espaço e luminosidade, Niemeyer superou os ideais racionalistas das suas origens para dar de presente ao Brasil edifícios únicos em todo o mundo, o que faz a capital brasileira um incomparável museu, por direito. Edifícios como o do Tribunal de Justiça (acima) e o Palácio do Itamaraty (abaixo) mostram vigor misturado com luminosidade, tudo em um espaço quase surreal, que impressiona muito os visitantes. Em Brasília, tudo – da água ao céu, dos amplos espaços vazios às esculturas isoladas que de repente aparecem no cenário – colabora para criar um quadro atemporal e, sobretudo, de valor eterno.

29 *top and bottom* Master of arranging space and light, Niemeyer overcame the rationalistic ideals of his origins to give Brazil the gift of buildings unique in all the world, which make the Brazilian capital an incomparable museum in its own right. Buildings like the one containing the Superior Tribunal de Justiça (top) and the Palácio do Itamaraty (bottom) demonstrate sturdiness blended with lightness, all situated in an almost surreal space that greatly impresses visitors to the city. Here, everything – from the water to the sky, from the vast empty spaces to isolated sculptures that suddenly "inhabit" the setting – competes to create a timeless picture and, as such, one of undying worth.

28-29 The political and administrative "heart" of Brazil is here, in Brasília, the federal capital since 1960. From above, the city has the shape of an airplane whose nacelle is represented by the ministerial district, the Square of the Three Powers with Palácio do Planalto, the presidential residence, the Palácio do Congresso (seen in the center of the photo, topped by the "twin towers"), and the Palácio da Justiça. The city, built in just three years around an immense artificial lake created to make the climate less dry, was designed by the urban planner Lucio Costa, the architect Oscar Niemeyer, and the landscape architect Burle Marx. Highly modern, it was designed for cars and bureaucrats yet not on a human scale, considering the enormous distances between neighborhoods, in each of which a specific type of shop or service is centralized. The attempt to give Brazil a geographically central and futuristic capital, suited to the "dream" of the Brazil of the third millennium, was successful from a theoretical point of view, but not in practical terms – above all for the city's over two million inhabitants.

30 A coroa futurista de concreto armado e vidro da Catedral é considerada a obra-prima de Oscar Niemeyer. O interior possui um único corredor circular com um altar no centro, que é localizado levemente abaixo do nível da rua, no lado de fora. A iluminação natural proporciona a sensação de um transe: a luz do sol filtrada pelos painéis de vidro colorido refletem na direção do céu.

31 *acima* A arquitetura moderna domina os edifícios que abrigam o Congresso Nacional; duas torres "gêmeas" surgem a partir da estrutura principal, enquanto duas meias cúpulas suavizam o formato paralelepipedal. Como todos os edifícios públicos em Brasília, este é cercado por diversos pequenos lagos.

31 *abaixo* O panteão Tancredo Neves, com sua eterna chama, é dedicado ao presidente que lutou contra o regime militar e a todos que lutaram pela liberdade e democracia no Brasil.

30 *The futuristic corona of cement and glass of the Cathedral is considered to be the masterpiece of Oscar Niemeyer. The interior has a single circular aisle with an altar in the middle, and is set at a slightly lower level than the street outside. The natural lighting is entrancing: sunlight filters through tinted glass panels that soar skywards.*

31 top *Modern architecture dominates the building that houses the National Congress: two slender twin "towers" rise over the main structure, while two half cupolas soften the harsh parallelepiped shapes. Like all of the public buildings in Brasília, this one is surrounded by many small lakes.*

31 bottom *The Panteão Tancredo Neves, with its eternal flame, is dedicated to the president who defeated the military regime, and to all those who struggled for freedom and democracy in Brazil.*

São Paulo, arranha-céus e grandes negócios

São Paulo, skyscrapers and high finance

32–33 São Paulo é a imensa capital do Estado de mesmo nome, conhecido inicialmente pelas vastas plantações de café; a cidade é uma imensa metrópole industrial, uma desencorajadora sucessão de arranha-céus que desaparecem na distância, a perder de vista. Com uma população de cerca de 18 milhões de pessoas, possui mais da metade das indústrias do país. Embora seja a capital dos negócios e da manufatura, São Paulo também possui uma vida noturna agitada; o trânsito é intenso tanto à noite quanto durante o dia, incluindo os engarrafamentos. Mas São Paulo é também uma cidade rica em termos culturais e possui algumas das mais importantes coleções de arte ocidental em toda América Latina.

32–33 São Paulo is the immense capital of the state of the same name, known primarily for its huge coffee plantations; the city is an immense industrial megalopolis, the locomotive of the Brazilian economy, a daunting expanse of skyscrapers that march off into the distance until they are lost to sight. In order to have some idea of the city's mammoth dimensions, one must look at it from an airplane as it comes in to land. A population of more than 18 million, 50 per cent of the nation's industry: even though it is a capital of business and manufacturing, São Paulo also has a lively nightlife; traffic is as intense by night as it is by day, including the traffic jams. But São Paulo is also a city of culture, and it possesses some of the most important collections of western art in all of Latin America.

33 Os parques, como o do Ibirapuera (abaixo) ou os belos jardins do Museu do Ipiranga (acima) são pontos de encontro para os paulistanos, verdadeiros oásis entre os arranha-céus de cimento.

33 The parks, like that of Ibirapuera (bottom) or the handsome gardens of the Ipiranga Museum (top), are meeting places for the Paulistanos, oases of greenery amidst the cement of the skyscrapers.

33

Rio de Janeiro, cidade maravilhosa...

34 A Praia de Ipanema é um lugar para ver e rever. Aqui é possível admirar as lindas garotas, cuja fama foi levada ao mundo pelas canções de Vinícius de Moraes e Tom Jobim. Ipanema é um nome indígena cujo significado é "águas ruins", devido às fortes ondas que atingem a areia de forma tão violenta que somente os jovens surfistas locais aceitam o desafio de enfrentá-las.

34-35 O emaranhado da floresta virgem da Tijuca, a maior do mundo localizada em área urbana, está livre para desenvolver-se nos contrafortes do Corcovado, na base da estátua do Cristo Redentor que abraça o Rio de Janeiro e toda a Baía da Guanabara. O Rio é singular também sob este aspecto. É difícil dizer o que é mais impressionante nesta cidade: o céu, a água, os edifícios, as pessoas, a música, a luz...

36-37 As milhares de luzes do Rio brilham na convidativa noite, e o Pão de Açúcar é como um farol, iluminando as noites cariocas.

34 *The beach of Ipanema, where one can watch the* garotas *– the loveliest young women – was made famous throughout the world by Vinícius de Moraes and Tom Jobim. Ipanema is an Indian name that means "bad waters": in fact, the ocean breakers often hit the beach so hard that only the local boys brave them with their surfboards.*

34-35 *The tangle of the virgin forest of Tijuca, the largest in the world located within an urban setting, is free to prosper at the foothills of Corcovado, at the base of the statue of Christ the Redeemer that embraces Rio de Janeiro and all of Guanabara Bay. Rio is unique from this aspect as well. It is hard to say which is more impressive in this dream city: the sky, the water, the buildings, the people, the music, the light...*

36-37 *The thousands of lights of Rio glitter in the hot inviting night, and the Sugarloaf is like a lighthouse, illuminating the carioca nights.*

Recife, a Veneza brasileira
Recife, Venice of Brazil

38 Recife, que já foi apelidada de "Veneza brasileira" devido às inúmeras pontes construídas sobre os dois rios que cortam a cidade, recebeu o seu nome dos arrecifes que protegem a comprida praia da Boa Viagem. Recife possui uma história colonial complexa e intrincada. Por muitos anos, a cidade foi o verdadeiro portão de entrada dos portugueses, embora tenha sido ocupada pelos holandeses por algumas décadas. Na parte velha da cidade, igrejas barrocas e palácios coexistem, lado a lado, com casas que fazem frente ao rio, com fachadas como as de Amsterdã. A visita a Olinda é praticamente obrigatória, cidade estabelecida em uma encosta verde, avistando o mar, e é como um "sonho barroco".

38 Recife, which has also been nicknamed the "Venice of Brazil" because of the many bridges built over the two rivers that run through the town, takes its name from the recife, or breakwater that protects the long beach of Boa Viagem. Recife has a complex and intricate colonial history: for many years it was the true "entrance" for the Portuguese, though it was also occupied by the Dutch for a few decades. In the old part of the city, baroque

*churches and palaces coexist side-by-side
with the riverfront houses with facades
like those of Amsterdam. One should also
make a point of touring the nearby
Olinda, set on a green little hill
overlooking the sea; and it is a "baroque
dream".*

39 O mercado de Recife localiza-se no
lado histórico, no meio da cidade, entre
igrejas barrocas e mansões, monumentos
das conquistas coloniais e da riqueza dos
latifúndios canavieiros de Pernambuco.
No século XVII, os latifúndios fizeram de
Olinda e Recife, bem como de Salvador,
as cidades mais ricas do Brasil.
O tráfico de escravos, com navios
negreiros chegando regularmente,
também foi uma importante fonte de
riqueza. A preciosa mão-de-obra em
forma de escravos, roubados de sua terra
natal, África, foi indispensável para o
corte e o cultivo da cana-de-açúcar.

39 *The market of Recife is held in the
historical section at the middle of town,
amid baroque churches and mansions,
monuments to the colonial achievements
and to the wealth produced by the
plantations of sugar cane of Pernambuco.
In the seventeenth century, the
plantations made Olinda and Recife, as
well as Salvador da Bahia, the wealthiest
cities in Brazil. The slave trade, too, with
the slave ships arriving regularly, was a
flourishing source of wealth. Precious
manpower in the form of stolen Africans,
was indispensable in the cutting and
harvesting of the sugar cane.*

As pequenas capitais
The lesser capitals

40–41 Porto Alegre, capital do Rio Grande do Sul, localizada próxima ao Rio Guaíba, é uma cidade moderna, com uma importante universidade e uma marcante inclinação para o comércio; o porto é utilizado para a exportação de produtos alimentícios e têxteis.

40–41 *Porto Alegre, capital of Rio Grande do Sul, located along the Rio Guaíba, is a modern city, with a major university and a marked gift for trade: the port is used in the export of foodstuffs and textiles.*

42 Os prédios de Salvador, na Bahia, crescem abruptamente desde o porto em direção à cidade alta, seguindo as encostas nas quais a cidade se acomoda. Salvador não é mais o principal porto do Brasil, como foi durante os três séculos entre 1500 e 1800, mas não perdeu seu charme, nem reputação: na verdade é um dos lugares preferidos dos visitantes estrangeiros, atraídos pela atmosfera um tanto quanto "africana", carregada pelo sincretismo mágico-religioso do candomblé e pela charmosa arquitetura colonial.

42 *The buildings of Salvador da Bahia rise brusquely from the port toward the upper city, following the hillsides on which the city is nestled. Salvador is no longer the main port of Brazil, as it was for a good three centuries from 1500 to 1800, but it has not lost any of its charm or reputation: in fact, it is one of the favorite spots of foreign visitors, attracted by its very "African" atmosphere, loaded with the magical-religious syncretism of* candomblé*, and its charming colonial architecture.*

43 *acima* Um mar que não é exatamente um mar abraça os limites urbanos de Belém, sob assalto das águas do Rio Amazonas, neste ponto, no fim de seu curso. A cidade deve sua fortuna ao grande rio, para o qual ela aparece como uma espécie de central de comunicações e comércio: os produtos da bacia amazônica (sobretudo o alumínio, a pimenta e a mandioca) não podem ser escoados de outra forma senão pelo porto, a partir do qual serão exportados ou processados em indústrias locais.

43 top *A sea that is not a sea laps at the urban limits of Belém, under assault by the waters of the Amazon River, here at the end of its course. The city owes its fortune to the great river, to which it serves as a sort of communications and commercial "terminal": the products of the Amazon basin (above all aluminum, pepper, and cassava) have no choice but to flow through its harbor, from where they will then be exported or processed in local industries.*

43 *abaixo* Ao mesmo tempo em que Belém não desponta como a cidade mais turística do Brasil e é bastante moderna em muitos setores, a cidade por outro lado tem muitos recantos e esconderijos esquecidos pelos urbanistas, tão apaixonados pelos arranha-céus e por estruturas monumentais modernas. Vestígios coloridos da arquitetura colonial ainda podem ser encontrados, por exemplo, na enseada de pescadores, vista nesta foto a partir de duas cúpulas barrocas que ficam no ponto mais alto das torres do sino de uma catedral do século XVIII.

43 bottom *While Belém may not be the most touristy city in Brazil and is in large part modern, it nonetheless contains many nooks and crannies forgotten by the urban scholars so passionate about skyscrapers and modern monumental structures. Colorful remnants of colonial architecture can still be seen, for example, in the port for fishing boats, overlooked in this photo by the two baroque cupolas that sit on top of the bell-towers of the 18th-century cathedral.*

44-45 A afirmação de que "o passado está no passado" não deve ser motivo de nostalgia no Pelourinho, a famosa área da Cidade Alta de Salvador, na Bahia. O nome do local hoje conhecido como uma das regiões mais características e interessantes da cidade (o lugar da música étnica, dos restaurantes, dos encontros informais, dos artistas, dos turistas...) significa "lugar de chicotadas", uma referência direta ao fato de o mercado de escravos funcionar ali até 1888, o ano em que a infame prática da escravidão no Brasil foi abolida por lei. Esta luminosa vista mostra o Largo, o coração multicolorido da região.

44–45 The fact that "the past is in the past" should not be cause for nostalgia in Pelourinho, the famous quarter of the Cidade Alta of Salvador da Bahia. The name of what today is the most characteristic and one of the city's most interesting areas (the place for ethnic music, restaurants, get-togethers, artists, tourists...) actually means "place of the whip," a direct reference to the fact that the slave market operated here until 1888, the year in which the infamous practice of slavery was abolished by law. This luminous view presents the Largo, the multicolored heart of the neighborhood.

45 Depois de passados os negros anos da escravidão, o Pelourinho tornou-se famoso como a região dos artistas e músicos, embora tenha entrado em decadência e sido quase totalmente abandonado. Mais tarde, nos anos de 1980, a situação alterou-se radicalmente: a Unesco incluiu o histórico e charmoso lugar na lista dos Patrimônios da Humanidade. Com isso, o desafio passou a ser restaurar e revitalizar o Pelourinho. Os edifícios foram restaurados e pintados em cores pastéis, as ruas foram novamente pavimentadas e os restaurantes e lojas voltaram a abrir suas portas. É claro que as veneráveis igrejas locais também tiveram sua dignidade renovada, como a Igreja do Santíssimo Sacramento, na Rua do Passo, cujas torres do sino aparecem nesta foto.

*45 After the dark days of slavery had passed, Pelourinho became famous as an artists' and musicians' quarter, though falling into decay until almost abandoned. Later, in the 1980s, the situation changed radically: Unesco included the historic and charming neighborhood in the Heritage of Humanity list. Thus, the challenge
was issued to restore and revitalize the Pelourinho. The buildings were restored and painted in pleasant pastel colors, the streets were re-cobbled, and restaurants and shops opened their shutters once again. Of course, the venerable churches took on a renewed dignity, like lovely Igreja do Santíssimo Sacramento da Rua do Passo, whose bell-towers rise tall in this shot.*

46 Uma dupla de mulheres vestidas à caráter posa bastante à vontade na bonita Praça Anchieta, ao lado da Igreja de São Francisco, de estilo arquitetônico agradavelmente austero e simples. Em frente à construção está plantada a cruz dedicada ao patrono da cidade, Francisco Savério. A cidade foi fundada em 1549, ao lado da vila construída pelo nobre português Tomé de Souza, enviado pela coroa para instalar no Brasil uma forma de governo eficiente que pudesse substituir o sistema falho existente até então, o de "capitanias".

46 *A couple of women in costume pose willingly in pretty Anchieta Square, dominated on one side by the Church of Saint Francis (Igreja de São Francisco), which is architecturally pleasantly austere and simple. In front of the building, the cross dedicated to the city's patron saint, Francesco Saverio, stands tall. The city was founded in 1549, on the site of a village established by the Portuguese nobleman Thomé de Souza, sent by the Crown to install in Brazil an efficient form of government to replace the existing faulty system of the "capitanias".*

46-47 Salvador da Bahia, fotografada a partir de uma das ilhas que olham para a cidade na direção oeste, ergue-se sobre um promontório que se estende na direção nordeste-sudoeste e protege a extensa Baía de Todos os Santos, na qual as águas de vários rios se misturam com as do Oceano Atlântico. No primeiro plano, um grupo de pescadores trabalha duro ao redor de um grande barco de desenho bastante tradicional, provavelmente similar às pirogas usadas pelos nativos que habitavam estas terras antes da chegada dos portugueses.

46-47 *Salvador da Bahia, framed by one of the islands facing the city to the west, stands upon a promontory that stretches in a northeast-southwest direction and protects the large Baía de Todos os Santos, in which the waters of several rivers mix with that of the Atlantic Ocean. In the foreground, a group of fisherman is hard at work around a long boat of rather traditional design, probably similar to the pirogues used by the native peoples that inhabited these lands before the Portuguese arrived.*

48 Crianças vestidas tradicionalmente participam da "Lavagem do Bonfim", festa típica de Salvador, na qual a população vai em massa às ruas. O carnaval baiano é diferente do carnaval carioca. Em vez de escolas de samba, os trios elétricos predominam.

48–49 Duas garotas usando vestimentas tradicionais param ante a uma igreja no Pelourinho.

48 *Children in costume take part in the* Lavagem do Bonfim, *a traditional festival of Salvador da Bahia. As far as festivals go, for that matter, the city is lavishly endowed. Carnival, for starters, is different here from that in Rio, because there are no musical groups playing sambas, but rather, the* trio elétrico.

48–49 *Two girls wearing traditional costumes stop before a church of Pelourinho in Salvador da Bahia.*

50-51 Igrejas e casas lotam as ruas do Pelourinho, seguindo a forma caprichosa do território. Calcula-se que em 1581 (apenas 32 anos depois da fundação da cidade episcopal), Salvador da Bahia já contava com nada menos do que 62 igrejas católicas, número que hoje já aumentou, diz-se, para 365, uma para cada dia do ano. A arquidiocese completa conta com mais de 700 edificações sagradas e capelas.

50-51 *Churches and houses crowd the streets of the Pelourinho, following the capricious shape of the territory. It is calculated that by 1581 (only 32 years after the foundation of the Episcopal city) Salvador da Bahia contained no fewer than 62 Catholic churches, today increased, it is said, to 365, one for each day of the year. The whole archdiocese has more than 700 sacred buildings and chapels.*

Um Caldeirão de Raças
A Myriad of Peoples

52 *acima* Os índios Kamayurá travam uma espécie de luta ritual, uma disputa pelo poder e pela supremacia em sua hierarquia social.

52 *abaixo* Em Brasília, automóveis e pedestres nunca se encontram; cada um possui seus próprios caminhos. Se uma pessoa não tem carro próprio, tem dificuldade para se locomover, pois o transporte público é deficiente. Não é uma cidade construída para as dimensões humanas.

53 As escolas de samba em seu desfile no Rio de Janeiro. Fantasias, música e alegorias marcam a sua passagem pelo Sambódromo; dos dois lados da avenida existem arquibancadas e camarotes, de onde autoridades e celebridades assistem ao desfile. Ninguém quer perder o espetáculo, e possuir um camarote no Sambódromo é símbolo de muito *status*; as 16 escolas do grupo especial desfilam por aqui, cada uma delas sonhando em ser escolhida a campeã.

52 top *The Kamayurá Indians, shown locked in a ritual duel, struggling to express power and supremacy in their social hierarchy.*

52 bottom *In Brasília, automobiles and pedestrians never meet: each follow roads of their own. But if one has no automobile, it is difficult to get from place to place, because the distances are huge and the public transportation is not very efficient. This is not exactly a city "built to the measure of man."*

53 *The grupos of the schools of samba parade through the streets of Rio de Janeiro. Costumes, music, and elaborate designs mark the passage through the Sambodrome; on either side of the street are bleachers and boxes from which celebrities and officials watch the parade. No one wants to miss the show, and to have a box at the Sambodrome is an exceedingly prestigious distinction: the sixteen most important and famous groups parade here, vying for victory.*

Belezas na praia
Beauties on the beach

54 As praias cariocas são o ponto de encontro entre a juventude local e os turistas. Copacabana, Ipanema, Leblon e Barra da Tijuca estão sempre lotadas, com pessoas caprichando no bronzeado, principalmente porque é de graça. Há vendedores por todos os lados, oferecendo desde sorvete e refrescos até deliciosos espetinhos de camarão.

55 As praias estão sempre lotadas de belas garotas, que dedicam suas vidas a cuidar de seus corpos. Contribuindo para que o Rio de Janeiro continue merecendo ser chamado de "cidade maravilhosa". Ao longo da praia, o ritual de cuidados com o corpo pode ser sempre observado; de manhã cedo, tanto homens quanto mulheres praticam *cooper* e exercícios.

56-57 Uma vista um tanto incomum da legendária Praia de Ipanema, sem a luz do sol e sob um céu em que se está formando chuva. O Rio de Janeiro não fica muito distante do Trópico de Capricórnio, mas o mar, junto com os fenômenos do El Niño e La Niña, tem um importante papel na modulação do clima local. As temperaturas de fato variam de acordo com a estação, indo dos 37ºC a 15,5ºC, uma temperatura um tanto quanto fria para uma cidade sem sistemas de aquecimento central!

54 *Rio de Janeiro's beaches are a meeting point between the local youth culture and the tourists: Copacabana, Ipanema, Leblon, and Barra da Tijuca are always teeming with sunworshippers, in part because there is no fee to use the beach, which is often crisscrossed by strolling vendors who proffer tropical fruit, beverages, ice cream, and delicious spits of roasted shrimp.*

55 *The beaches teem with* **garotas,** *the lovely young mulatto or white women who dedicate their lives to caring for their bodies, helping Rio de Janeiro to deserve its nickname of* **cidade maravilhosa.** *Along the beaches, they celebrate the rites of the body beautiful: in the early morning, the beaches are already crowded with young men and women jogging and working out along the ocean.*

56–57 *A view a bit out of the ordinary shows the legendary Ipanema Beach without sunlight, beneath a changing sky loaded with rain. Rio de Janeiro is not far from the tropic of Capricorn, but the ocean, together with El Niño and La Niña, plays an important role in shaping the local climate. Temperatures actually vary, according to the season, from over 100°F to 60°F (37°C to 15.5°C), quite cold for a city without any central heating systems!*

As divas do carnaval
Divas of the Carnival

58–59 Cenas do carnaval carioca, com toda sua energia e vitalidade, cada vez mais elaborado, ano após ano. As madrinhas da bateria são sempre o centro da atenção e geralmente são mulheres famosas ou belas mulatas que, como diz a expressão, possuem samba no pé.

58–59 *Scenes of the Carioca carnival, bursting with life and vitality, frenzied and increasingly fanciful, year after year. The Diva is always the focus of attention: usually, the Diva is the loveliest young mulatto woman, a flawless samba dancer.*

60 *acima* As fantasias, a maquiagem e a escolha dos materiais são feitas em função do tema, que muda todo ano, e são selecionadas e elaboradas por pessoas de imensa criatividade, imaginação e habilidade: os carnavalescos. Famosos estilistas e artistas trabalham e colaboram com as escolas de samba.

60 *abaixo* e 61 Duas das mais famosas escolas de samba desfilando: Padre Miguel e União da Ilha. Não existe carnaval mais rico, colorido e excitante que o do Rio de Janeiro. A primeira festa popular de carnaval ocorreu em 1854. Em 1928, a primeira escola de samba moderna foi fundada, a Deixa Falar. Depois do carnaval carioca, as celebrações mais famosas são as de Recife e Olinda, em Pernambuco, com fantasias e máscaras típicas.

60 top *The costumes, the make-up, the selection of the materials are all a function of the overall theme that has been chosen for each year's carnival, and are dictated by the imagination and the skill of those who prepare it and who take part. There are many famous designers and dressmakers who work with the "schools" and samba groups.*

60 bottom and 61 *Two of the most famous schools of samba on parade: the "Padre Miguel" and the "União da Ilha". There is no richer, more colorful, or more exciting carnival than that held in Rio de Janeiro. The first popular carnival of the city took place in 1854. In 1928 the first modern school of samba was founded, the "Deixa Falar". After the carnival of Rio, the most famous celebrations are those of Recife and Olinda, in Pernambuco, which feature costumes and allegorical masks, with a decided tribal influence.*

Lembranças da África
Remembering Africa

62–63 O folclore local expressa-se de diversas maneiras marcantes, com referências incessantes às raízes africanas, que podem ser vistas nas vestimentas da Congada e nas máscaras antropomórficas da Folia de Reis. São características que marcam bastante o Brasil, cujas raízes provêm da colonização européia e da costa atlântica africana. Os navios negreiros trouxeram homens e mulheres, bem como suas culturas, tradições, canções e instrumentos. Tudo isso foi mesclado com a cultura portuguesa e com a cultura de diversas outras nacionalidades de imigrantes europeus.

62-63 The local folklore expresses itself in the most remarkable manners, with incessant references to the African roots, as can be seen in the costumes of the Congada and in the anthropomorphic masks of the Folia de Reis. These are all distinctive features of modern Brazil, which sinks its roots in the history of European colonization and the Atlantic coast of Africa. The slave ships brought men and women, as well as their cultures, their traditions, their music, and their instruments. All of this has been amalgamated with Portuguese culture and with the various other cultures of the other European immigrants.

64–65 As máscaras antropomórficas da Folia de Reis certamente carregam a influência da população de origem africana, que representa grande parcela da população brasileira.

64-65 *The distinctive anthropomorphic masks of the Folia de Reis certainly hearken back to the African origins of much of the population of Brazil.*

66-67 Jovens de Salvador, homens ou mulheres, mostram muita habilidade com a Capoeira, um tipo de arte marcial que nos últimos anos vem fazendo enorme sucesso no ocidente. As origens desta dança de combate são muito discutidas, mas elas certamente têm relação com a cultura da terra natal dos escravos trazidos para o Brasil pelos portugueses, em cujos círculos sociais as danças e as posturas de combate marcaram importantes fases e períodos da vida destes indivíduos.

66-67 Young people from Salvador da Bahia, both young men and women, demonstrate great skill at Capoeira, a type of martial art that in recent years has had enormous success in the West. The origins of this combat-dance are source of debate, but they certainly have something to do with the cultures of the homelands of slaves brought to Brazil by the Portuguese, in whose social circles the dances and combat poses marked phases and important periods in the life of these individuals.

67 A capoeira tornou-se um dos mais queridos esportes dos brasileiros (uma excelente alternativa ao futebol) que vêem nela uma forma de reafirmar sua herança, com orgulho. No entanto, houve um tempo em que a capoeira tornou-se uma arma de foras da lei, fugitivos e bandidos de vários tipos e por isso sua prática foi proibida por leis bastante severas. Qualquer pessoa que fosse pega na rua jogando capoeira, como estão fazendo estes jovens atletas, poderia passar o resto da vida na cadeia.

67 Capoeira has become one of the best loved sports of Brazilians (an excellent alternative to soccer), who also see in it a means to reaffirm their heritage with pride. However, there was a time when, having become the weapon of outlaws, fugitives, and bandits of various kinds, its practice was prohibited by very strict laws. Anyone caught doing Capoeira in the street, as these young athletes are, could have spent the rest of life in jail.

Os tesouros da terra
The treasures of the Earth

68–69 Açúcar, abacaxi, soja, café e algodão: são apenas parte das culturas que formam a riqueza cultivada neste país de dimensões continentais. O Brasil está investindo no plantio intensivo. Esse setor da economia contabiliza um quinto do produto interno bruto e cria empregos para aproximadamente um terço da força de trabalho disponível. Metade dos produtos agrícolas são exportados. No Brasil, o sistema de latifúndios monocultores está solidamente estabelecido, um resultado do passado colonial, encorajado pelas dimensões gigantescas dos territórios; é estimado que apenas 32 mil enormes terrenos cobrem três quartos de terra arável e pastável.

68–69 Sugar, pineapples, soybeans, coffee, and cotton: these are just a few of the mainstays of the continent-sized country's wealth. Brazil boasts a substantial expanse of intensive farming. This sector of the economy accounts for about a fifth of the gross domestic product, and it provides work for about a third of the workforce. Half of the agricultural products are exported. In Brazil, the plantation system is solidly entrenched, a result of the colonial history of the country, encouraged by the immense size of the territories: it is estimated that just thirty-two thousand estates cover three-quarters of the arable land or pasturage.

70–71 Boiada sendo conduzida no Pantanal, a região das fazendas onde os boiadeiros andam somente a cavalo. Essas fazendas são as maiores da América Latina: estão concentradas principalmente nas áreas montanhosas do interior do país e nos estados do Sul, graças ao clima, que torna possível a criação de animais em ambiente aberto. Bois, carneiros, cavalos, mulas e porcos são criados nas fazendas daqui. Muitos desses produtos são destinados à exportação.

70–71 *Livestock grazing in the Pantanal, the region of the fazendas where the cattle-herders still ride only on horseback. These ranches are the largest in Latin America: they are found chiefly on the highlands of the interior and in the states to the south, thanks to the climate which makes it possible to leave the animals out in the open. Cattle, sheep, horses, mules, and pigs are the wealth of the ranchers here. Much of this production is destined to be exported.*

Monta, gaúcho, monta!
Ride, gaucho, ride!

72–73 As tradições e o estilo de vida compartilhados entre os habitantes dos pampas paraguaios e argentinos são continuados pelos gaúchos do Rio Grande do Sul; são territórios formados por imensas fazendas de pecuária, com pastos extremamente produtivos. O gaúcho vive montado em cavalos e suas roupas, seus apetrechos e suas armas são remanescentes de muito tempo atrás. Aqui, vemos um boiadeiro que toca o seu berrante, chamando o gado. Um grande número de detalhes sobressai-se nas roupas de trabalho do gaúcho: as botas de couro macio e esporas de prata e a pequena faca no cinto, que é usada para retirar a pele de animais.

72–73 Traditions and ways of life shared with the inhabitants of the pampas of Paraguay and Argentina are carried on by the gaúcho *of Rio Grande do Sul; these are the territories of the immense fazendas and the most productive livestock pasturage. The* gaúcho *lives on horseback, and his clothing, his equipment, and his weapons are reminiscent of long time ago. Here we see a* boiadeiro *who summons, with his trumpet, the men who must herd the cattle. A number of details stand out in the* gaúcho's *work clothes: the boots of solt leather, the stirrups and spurs made of chased silver, the short knife on the belt that is used to skin animals.*

74-75 e 75 *acima* Nas costas dos irrascíveis cavalos crioulos, os fabulosos gaúchos brasileiros continuam a levar um estilo de vida que há muito tempo, felizmente para eles, foi esquecido. Pode-se quase dizer que estas crianças dos pampas não seriam capazes de se adaptar à vida na cidade. Muitos acreditam que, sem um cavalo, um gaúcho é como um homem sem pernas. Os cavalos da raça crioulo, de origem argentina e sempre cobertos com uma pelagem cinza, são descendentes distantes dos cavalos dos conquistadores, perfeitamente adaptados, ao longo dos séculos, às rigorosas condições locais.

74–75 *and 75 top In the saddle of the fiery criollo horses, the fabled Brazilian* gaúchos *continue to lead a lifestyle that the passage of time, fortunately for them, has forgotten. It could almost be said that these children of the pampas could never adapt to the easy life of the city. Many believe that, without a horse, a* gaúcho *is like a man with no legs. The criollos, of Argentinean origin and often with an ash-grey coat, are distant descendants of the horses of the conquistadores, perfectly*

adapted over the centuries to the rough local conditions.

75 *abaixo* O cavalo crioulo é o meio de transporte, a ferramenta de trabalho e a companhia para a caçada e o lazer durante toda a vida do gaúcho. Um dos passatempos preferidos dos cavaleiros, por exemplo, é aquele no qual os participantes se jogam, de cabeça para baixo, em um curral com cavalos selvagens e pulam na sela do primeiro que vêem pela frente, se possível no mais arisco. Para o gaúcho, escolher o mais "difícil" é muito importante. Sua dignidade como homem é diretamente medida por sua habilidade de montar e dominar estas criaturas, que podem ser tudo, menos dóceis.

75 bottom *The criollo is the gaucho's transportation, working tool, and lifetime hunting and play companion. One of the pastimes practiced by the cowboys, for example, requires that participants throw themselves, head lowered, into a corral of wild horses and jump into the saddle of the first one they can, if possible the most skittish one. For a* gaúcho, *choosing the most "difficult" animal is of the greatest*

importance. His worth as a man is directly measured against his ability to ride and tame these anything but docile creatures.

76-77 Tradições românticas, danças e roupas típicas são heranças de lendas e sonhos, duelos primitivos e de vidas gastas em espaços enormes e solitários. Essa é uma parte da população brasileira bastante surpreendente e pouco conhecida, a do Rio Grande do Sul, bastante distinto do resto do país. A característica do gaúcho é ser forte, e isso pode ser sentido na sua culinária também, que é bastante similar à argentina. O churrasco é a comida principal, servido em enormes espetos. Aqui, Portugal e Espanha encontram-se e misturam-se nessa fronteira que sempre foi uma terra de encontros, trocas e conflitos.

76–77 *Romantic traditions, dances, and costumes are the heritage of the dreams and legends, the primitive duels, and life lived in the immense and lonely spaces of the south. This is the surprising and perhaps less well known face of Brazil, where the Rio Grande do Sul marks an extreme diversity from the rest of the country. The imprint of the* gaúchos *is powerful and can be sensed in the cuisine as well, which in certain ways is similar to that of Argentina: here people eat the* churrasco, *fresh beef cooked over an open flame and served on spits that look like swords. Here Portugal and Spain meet and merge in this borderland that has always been a land of encounters, exchanges, and conflict.*

Velejando no Atlântico
Sails on the Atlantic

78 Mais um dia cansativo na vida desse pescador acabou, e o pôr-do-sol é o sinal de que é hora de ir para casa e encostar a rede. Peixes, camarões, caranguejos e lagostas, vindos das lagoas de água salgada, são pratos locais; em algumas regiões, são vendidos também para os turistas. Entre os coqueiros que crescem ao longo das praias, é possível deliciar-se com peixes servidos em rústicas barracas de madeira.

78 *The exhausting day of the fisherman is over, and sunset means it is time to go home and lay down the netting. Fish, shellfish, crabs, and crayfish from the brackish lagoons are eaten locally; in some areas they are served to the growing tourist trade as well. Among the palm groves along the beaches, the fish is served fresh in the charming little wooden* barracas.

79 Nas praias de Natal, o vento infla as velas das jangadas, que são usadas para pescar, enfrentando bravamente as ondas do Oceano Atlântico, a muitos quilômetros da costa. Os pescadores são, ainda hoje, tão pobres que continuam a utilizar esses pequeninos barcos a vela.

79 On the beaches of Natal, the wind bellies out the sails of the jangadas, *the fishing boats in which fishermen brave the breackers of the Atlantic Ocean, venturing out many miles from the coast. The fishermen even nowadays are so poor that they still use the traditional sailboats.*

Mágica e religião
Magic and religion

80–81 Essas fotografias registram momentos culminantes dos rituais da macumba, de origem africana: uma mulher cai em transe, possuída pelo espírito de Xangô. Os rituais afro-brasileiros estão profundamente enraizados e funcionam, de certa forma, como ligação entre as pessoas de origem africana daqui e da África. Existe um enorme número de variações da macumba, sendo que uma das mais marcantes é a do candomblé da Bahia. Em conjunto com os rituais mágicos e o catolicismo, sobrevivem outras religiões, trazidas por diversos grupos étnicos que imigraram para cá: protestantismo, judaísmo, xintoísmo e budismo.

80–81 This photographs captures the culminating moment of the rites of macumba, of African origin: a woman falls into a trance, possessed by the spirit of Xangô. *The Afro-Brazilian rituals are deeply rooted, and have served as a sort of social ligament for peoples of African origins here. Macumba is practiced in a number of different variants, the most distinctive of which is the* candomblé *of Bahia. Alongside the magical rituals and Catholicism, other religions survive, imported by the many ethnic groups that immigrated. Protestantism, Judaism, Shintoism and Buddhism.*

De volta ao passado pré-histórico
Back to the prehistoric past

82 *esquerda* Em pequenas canoas, os índios da tribo ianomami caçam e pescam com lanças e flechas envenenadas. A caça e a pesca, em conjunto com o plantio rudimentar, são os recursos essenciais das tribos indígenas.

82 *direita* Mulheres e crianças conversam na água, em uma espécie de ritual de purificação, que reafirma os laços estreitos entre a tribo e a natureza que a cerca. A natureza nunca é considerada uma presença hostil, mas sim uma fonte de vida e bem-estar.

83 *acima* Um homem ianomami fuma pelo nariz utilizando um pedaço de junco. Os índios hoje em dia estão em contato com a civilização ocidental, como pode ser percebido pelo calção que esse homem está usando, que, com certeza, não é uma vestimenta tradicional.

83 *abaixo* Uma aldeia circular na floresta, cujo espaço foi aberto com fogo; esta é uma casa ianomami – o shapono, na bacia do alto Orinoco. A estrutura é tipicamente amazônica, construída com madeira, folhas trançadas e trepadeiras. O formato circular tem objetivos de defesa e é indicativo de um grupo tribal que está acostumado a mudar-se freqüentemente para territórios não-familiares.

82 left *In little canoes, the men of the Yanomami tribe hunt and fish with poison-tipped spears and darts. Hunting and fishing, along with rudimentary farming are the essential resources of the Indian tribes.*

82 right *Women and children chat in the water, in a sort of rite of purification linked to these ablutions which reconfirm the exceedingly close ties between this tribe and the nature that surrounds them. Nature is never considered to be a hostile presence, but rather a source of life and well-being.*

83 top *A Yanomami man smokes through his nose, using a thin reed. The typical Indian is now in regular contact with Western civilization, as is indicated by the shorts this man is wearing, certainly not part of the traditional dress.*

83 bottom *A circular village in the forest, cleared by fire: this is one of the distinctive Yanomami shapono in the upper Orinoco basin. The structure is typical of Amazonian settlements, made of wood, plaited leaves, and liana vines. The circular structure also serves a protective purpose, and is indicative of the presence of a tribal group that is accustomed to moving frequently through unfamiliar territories.*

84 Uma índia caiapó e uma criança utilizam seus corpos como painéis para pinturas tribais. Entre esses índios, as mulheres têm a obrigação de preparar a comida e de obter os suprimentos de água potável. O relacionamento com as crianças é muito próximo e torna-se cada vez mais importante com o desaparecimento dessa cultura; o surgimento de doenças e o relacionamento difícil com a civilização levaram a uma drástica redução da fertilidade.

84 *An Aukke Kayapo woman and child display their bodies, painted with the tribal designs. Among these Indians, the woman has the task of preparing food and obtaining a supply of drinking water. The relationship with children is very close, and becomes increasingly important as their numbers dwindle: the uprooting of tribes, diseases, and a rejection of encroaching civilization all lead to drastic reductions in fertility.*

85 Um jovem guerreiro da tribo caiapó utiliza ornamentos e apetrechos que simbolizam a sua posição de prestígio social. Os guerreiros dessa tribo sempre foram considerados violentos e apreciadores da guerra, sempre prontos a defender seu território; isso tem sido verdade inclusive nos dias de hoje, embora as tribos tenham tornado-se menos beligerantes nas últimas décadas, à medida que foram influenciadas pela cultura moderna. Um fator decisivo para a sobrevivência desses índios foi a assistência e a orientação de missionários.

85 *A young warrior of the Kayapo tribe boasts the decorations and ornaments that indicate his prestigious social standing. The warriors of this tribe have always been considered particularly fierce and warlike, always ready to defend their territory; this has been true in recent times as well, though the tribes have generally become less belligerent over the last few decades, as they have become resigned to the incessant onslaught of modern culture. A decisive factor in the survival of the Indians has been the assistance and guidance of missionaries.*

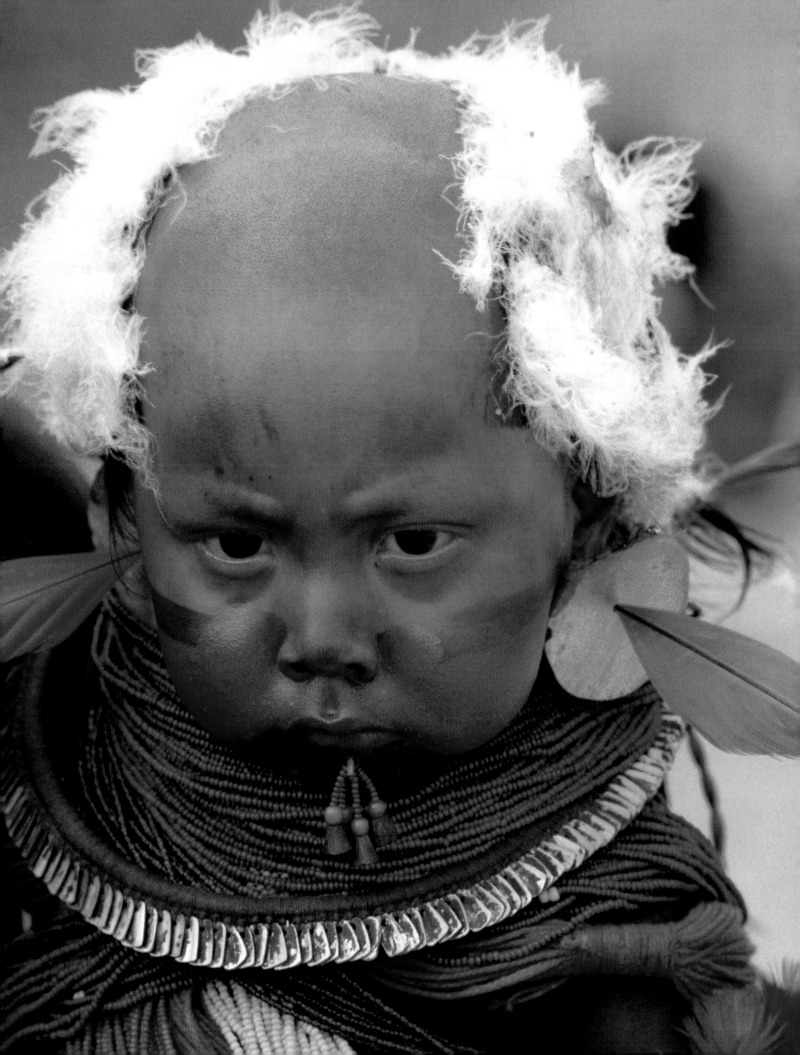

86 Uma criança com vestimentas tribais em um festival na aldeia. Hoje existem cerca de 350 mil índios.

87 Duas cenas da vida tribal: na foto de cima, uma criança sob o ritual de pintura de seu corpo. Na foto abaixo, as mulheres preparam-se para a celebração de uma cerimônia onde todos participam.

86 *A child wearing a tribal costume participates in a village festival. Today there are about 350 thousand Indians.*

87 *Two scenes from tribal life: in the picture top, a child is undergoing the ritual painting of the body. In the picture below, the women are preparing to hold a ceremony where everyone takes part.*

88 *esquerda* Um índio do Rio Purus posa com um cocar de penas amarelas e vermelhas. Aqui também a referência à natureza é poderosa e direta, como as penas dos papagaios que são usadas por esse jovem para fins ornamentais.

88 *direita* Esta foto mostra os temidos caçadores Araras, índios barbados, armados com arcos e flechas, que só recentemente entraram em contato com a cultura ocidental. Eles utilizam arcos primitivos com longas flechas que são atiradas com uma incrível precisão. Os Araras são conhecidos como "homens invisíveis" da selva e vêm tentando com muita determinação evitar contato com o invasor branco.

88 left *An Indian of Rio Purus poses with a head dress of yellow and red feathers. Here, too, the reference to nature is powerful and direct, as in the feathers of the parrots which are used here by the young man for ornamental purposes.*

88 right *This picture shows the fearsome Araras hunters, bearded Indians armed with bows and arrows, who have only recently come into contact with occidental culture. They use primitive bows and long arrows that they shoot with incredible accuracy. The Araras are typical of what have been called the "invisible men" of the jungle, and they have determinedly attempted to avoid contact with the white interlopers.*

89 *esquerda* A tribo matis veste uma máscara bastante singular, a do "homem-gato", a qual – de acordo com suas crenças – permite que se locomovam com facilidade pela selva. Essas pessoas provocaram curiosidade e medo entre os pioneiros exploradores da Amazônia.

89 *direita* As longas zarabatanas, que são utilizadas para atirar setas mortais com pontas envenenadas, não são somente armas para a caça, mas também antigas ferramentas de guerra. Quando os europeus iniciaram a exploração da bacia Amazônica, freqüentemente eles eram atacados por homens armados com arcos e zarabatanas.

89 left *The Matis tribe wear a remarkable "cat-man" mask, which – according to their beliefs – allows them to move easily through the jungle. These people aroused curiosity and fear among the earliest explorers of the Amazon.*

89 right *The long blow-guns, which are used to shoot deadly darts, their tips dipped in poison, are not only lethal weapons for hunting, but also ancient tools of war. When Europeans first began to explore the rivers of the Amazon basin, they were frequently attacked by the inhabitants armed with bows and blow-guns.*

90 Um grupo de meninas da tribo xikrin executa uma tradicional dança, mas não dentro da "grande casa" nas profundezas da floresta. As jovens estão participando da sétima edição dos Jogos dos Povos Indígenas, um dos mais interessantes eventos realizados no Brasil nos anos mais recentes. Desta forma, tribos há muito esquecidas podem reestabelecer uma série de relacionamentos que os laços de sangue do povo da Amazônia fizeram brotar há milhares de anos.

90 *A group of girls from the Xikrin tribe performs a traditional dance, but not inside the "big house" in the depths of the forest. The young girls are participating in the seventh edition of the Games of the Indigenous Peoples, one of the more interesting events held in Brazil in recent years. In this way, tribes forgotten for too long can revive that network of relationships through which the lifeblood of the Amazon peoples flowed for thousands of years.*

90-91 Homens da tribo pataxó dançam em uma parada durante a cerimônia de encerramento dos Jogos dos Povos Indígenas, cujas categorias incluem esportes como o remo nas tradicionais pirogas, levantamento de troncos de árvores que pesam cerca de 90 kg, arremesso de dardos com zarabatanas, arremessos de azagaia e muitas outras competições. Os povos indígenas do Brasil – dizimados por doenças e abusos até apenas 150.000 permanecerem, entre os milhões que prosperavam aqui antes da chegada dos europeus – agora estão vendo sua população aumentar. A taxa de mortalidade atingiu o seu pico nos anos de 1870, quando a exploração econômica quase provocou um genocídio. Recentemente, iniciativas como os Jogos dos Povos Indígenas, entre outras, têm colaborado com a reintegração da dignidade e da vontade de viver dos indígenas. Hoje, a população de índios aumentou para 400.000 pessoas.

90-91 *Men of the Pataxo tribe dance in a parade during the ceremony concluding the Games of the Indigenous Peoples, whose categories include sports like rowing on traditional pirogues, lifting tree trunks weighing around 200 pounds, throwing darts with blowpipes, tossing javelins, and many other competitions. The indigenous peoples of Brazil – killed off by disease and abuse until only about 150,000 of the millions who flourished there before the arrival of the Europeans – are now increasing in number. The death toll peaked in the notorious 1870s when economic exploitation led to near-genocide. Recently, initiative like the Games of the Indigenous Peoples and other initiatives are restoring the Indians' dignity and will to live. Today, the Indio population has grown to 400,0000 people.*

Os Últimos Refúgios da Natureza
Nature's Last Havens

92 *acima* Os milhares de rios e riachos no Norte do Brasil entrecortam a bacia Amazônica como imensas hidrovias: seguindo em barcos a motor de alta velocidade, pode-se chegar até o igapó, as áreas de cheia e as terras pantanosas que se esquivam vagarosamente na estação úmida e quente. Manaus não está longe, mas o horizonte verde domina tudo, aumentando a sensação de isolamento.

92 *abaixo* Na praia da Ilha das Cobras, pequenas escunas estão ancoradas, esperando os turistas que desejam conhecer a Baía de Todos os Santos, em Salvador.

93 A onça é a rainha da selva: armando uma emboscada, esse grande felino foi flagrado enquanto escondia-se atrás de uma planta.

92 top *The thousand rivers and broad streams in northern Brazil crisscross the Amazon basin like so many immense liquid highways: tooling, along on high – speed motorboats, one can reach the* igapó, *floodings and marshy swamplands that shrink slowly during the humid hot season. Manaus is not far away, but the green horizon dominates everything, heightening the sense of isolation.*

92 bottom *Off the beach of the Island of Cobras, little schooners are anchored, awaiting the tourists who wish to cruise through the Baía de Todos os Santos, at Salvador.*

93 *The jaguar is the king of the jungle: shown waiting in ambush here, this big cat was caught as it hides behind a large plant.*

94–95 O Morro do Pico e a Cacimba do Padre, no Oceano Atlântico, são parte do arquipélago de Fernando de Noronha, um genuíno santuário da vida selvagem e da natureza; o parque marinho e a reserva natural fazem com que esse seja o destino dos sonhos do turista ecológico. As ilhas possuem lindas e desertas praias e estão repletas de pontos ideais para o mergulho. Golfinhos nadam em grupos na Baía dos Golfinhos.

94–95 *The Morro do Pico and the Cacimba do Padre, in the Atlantic Ocean, just off the tropical coastline of the Nordeste, form the archipelago of Fernando de Noronha, a genuine sanctuary of wildlife and nature: the marine park and nature reserve make this a much admired destination for environmentally minded tourists. The islands have lovely, empty beaches and sea beds that are ideal for scuba diving. Dolphins swim in groups through the bay of Golfinhos.*

96–97 As flores interrompem o predomínio do verde na floresta tropical oceânica, que cobre as montanhas da Serra Graciosa, no Estado do Paraná, entre São Paulo e Santa Catarina, no sul do Brasil.

98–99 Imensas dunas brancas encontram as águas azuis de um pequeno lago. Esse é um espetáculo que se repete inúmeras vezes ao longo da costa nordestina.

100–101 A fina linha avermelhada da Transamazônica nos dá a impressão de que ela será engolida a qualquer momento pela floresta. Essa rodovia, que foi construída em 1973, é de fundamental importância para o desenvolvimento social e econômico da região; são mais de cinco mil quilômetros de estrada que conectam a bacia Amazônica de leste a oeste.

102–103 Durante a estação de chuvas, é como se os rios não tivessem margens e o "mar verde" fosse engolido. Assim é que se forma o espetacular igapó, parte indispensável da maior bacia fluvial do mundo, e que já atingiu mais de 2,3 milhões de milhas quadradas (5,9 milhões de quilômetros quadrados).

104–105 Na fronteira entre o Brasil e a Argentina, pode-se descobrir um mundo de águas ensurdecedoras, na linha frontal das Cataratas do Iguaçu – quase 3 milhas (4,8 km) de amplitude – compostas por centenas de poderosas quedas d´água, algumas delas maiores que as outras e com cerca de 200 a 300 pés (60 a 90 m) de altura.

96–97 *Flowers break up the greenery of the Atlantic Ocean rain forest, which covers the* cordilheiras *and mountains of the Serra Graciosa, in the state of Paraná, between São Paulo and Santa Catarina, in southern Brazil.*

98–99 *Immense white sand dunes frame the topaz blue of the brackish waters of a little lake; in the distance one can see the ocean. This is a* spectacle that one sees over and over along the coasts of the Nordeste.

100–101 *The thin reddish line of Transamazonian highway seems as if it is about to be swallowed back up by the forest. This highway, which was built in 1973, is of fundamental importance to the economic and social development of the region: with over there thousand miles of road, it links the Amazon basin from east to west.*

102–103 *During the rainy season, it seems as if the rivers no longer have banks, and that the "green sea" is going to be swallowed up. Thus the spectacular* igapó *are created, which are a fundamental part of the largest river basin in the world, more than 2.3 million square miles (5.9 million square km).*

104–105 *At the border between Brazil and Argentina, a world of thunderous waters can* be discovered along the front of the Iguaçu Falls – almost 3 miles (4.8 km) in breadth –, composed of hundreds of single powerful waterfalls, some larger than others and between 200 to 300 ft (60 to 90 m) in height.

Dentro do inferno verde
In the Green Inferno

106–107 A floresta Amazônica é majestosa mesmo durante a época da seca. As árvores podem crescer a alturas de até quarenta metros e, entre as dezenas de espécies (pelo menos sessenta já foram catalogadas), as mais comuns são a munguba (Bombax munguba), o pau-mulato (Calycophylum spruceanum) e o capó (Ceiba pentandra).

106–107 *The Amazonian forest appears as a luxuriant expanse even during the dry season. The trees can grow to heights of one hundred and thirty feet, and, among the dozens of species (at least sixty have been catalogued), the most common are the munguba (Bombax munguba), the* paumulato *(Calycophylum spruceanum), and the capoc (Ceiba pentandra).*

À espreita entre os galhos
Ambush among the branches

108–109 As serpentes são habitantes bastante especiais da vegetação rasteira amazônica. A jibóia *(direita)* engole sua presa inteira, enquanto a boa verde *(esquerda)* é mestra em camuflagem, comumente encontrada envolta nos galhos das árvores.

110–111 Particularmente eficientes em camuflagem, as cobras aqui atingem proporções enormes, como a sucuri, com até 10 metros de comprimento, capaz de engolir animais com até 70 kg.

112–113 Depois da bacia Amazônica, uma das regiões do Brasil mais interessantes em termos ecológicos é o Pantanal: florestas e pântanos ocupam uma área equivalente à da França, entre o Mato Grosso e as terras baixas do Chaco. De outubro a abril, as águas do Rio Paraguai submergem o Pantanal; esse é o período de as árvores florirem e de os pássaros migratórios chegarem. De maio a setembro, durante a época seca, os mamíferos voltam a dominar essa terra.

108–109 *The serpents are special inhabitants of the Amazonian underbrush. The Jiboia, or boa constrictor* (right), *swallows its prey whole, while the green boa* (left) *is a champion at camouflage, and can easily be found wrapped around the branches of the trees.*

110–111 *Particularly skilled at camouflage, the snakes here grow to enormous sizes: like the sucuri, the giant anaconda, as long as thirty feet, capable of swallowing animals weighing one hundred and fifty pounds.*

112–113 *After the Amazon basin, one of the most interesting naturalistic areas of Brazil is the Pantanal: forests, marshes, and savannahs occupy an area the size of France, between the Mato Grosso and the lowlands of the Chaco. From October to April, the waters of the river Paraguay submerge the Pantanal: this is the period of flowering plants on the trees, when the migratory aquatic birds arrive. From May to September, during the dry season, mammals once again become the lords of the land.*

O reino dos animais
The animal kingdom

114 A anta é um dos muitos habitantes da floresta; aparentada com a família dos rinocerontes, geralmente alimenta-se nas margens dos rios, onde afunda nas águas.

114 *The tapir is one of the many inhabitants of the forest; a "little relative" of the rhinoceros, it usually feeds near marshes and on riverbanks, where it walks down into the water.*

115 Esta foto mostra um bando de capivaras com seus filhotes. A capivara é o maior roedor do mundo e pode atingir um tamanho considerável: até um metro e meio, com quase oitenta quilos. Possui patas adaptadas para a água e é uma excelente nadadora, capaz de permanecer sob a água por até dez minutos.

115 *This picture shows a herd of capybara with their young in the foreground. The capybara is the world's largest rodent, and it can grow to considerable sizes: as long as five feet, and as heavy as one hundred and seventy-five pounds; it has webbed feet and is an excellent swimmer, capable of remaining underwater for as long as ten minutes.*

116–117 O universo que esses animais ocupam é feito de árvores e arbustos, o macaco-cabeludo *(esquerda)* possui pêlos longos e sedosos e vive no Pantanal e no Mato Grosso, e a lenta e solene preguiça *(direita)* é capaz de nadar, adaptando-se perfeitamente ao seu hábitat, nas raras ocasiões em que desce das árvores nas quais se pendura, de cabeça para baixo, por longos períodos de tempo.

116–117 *The universe that these animals occupy is made up of trees and bushes: they are the alanatta* (left), *with long silky hair, that lives in the Pantanal and the Mato Grosso, and the slow and solemn sloth* (right), *which is also capable of swimming, adapting perfectly to the natural habitat on those rare occasions when it descends from the tree where it hangs, head downward, for long periods of time.*

118 Um tamanduá caça suas presas em uma árvore. Ele é um dos muitos habitantes das matas e florestas brasileiras; a variedade da fauna, que tantos estão agora tentando proteger, é a fonte para o desenvolvimento de uma das formas mais modernas e inteligentes de se viajar – o ecoturismo.

119 A ariranha é freqüentemente achada nos igapós da bacia Amazônica e nas áreas inundadas do Pantanal. Nesses territórios, que têm sido preservados pela natureza por milhares de anos, esses animais adaptaram-se perfeitamente às condições naturais, desenvolvendo habilidades valiosas para a sobrevivência, como camuflagem e técnicas de caça refinadas.

118 *An anteater hunts for its chosen prey in a tree. This is one of many inhabitants of the Brazilian jungles and forests; the abundance of fauna, which so many are now trying to protect, is a resource for the development of one of the most modern and intelligent forms of travel – ecotourism.*

119 *The otter is frequently found in the* **igapós** *of the Amazon basin and the marshy areas of the Pantanal. These territories have preserved their nature for thousands of years, and the animals have adapted perfectly to the natural conditions, developing noterworthy survival skills through camouflage and refined hunting techniques.*

120–121 O longo e poderoso bico amarelo-alaranjado (cuja função os ornitólogos até agora não compreenderam) fazem do tucano um pássaro inconfundível. Entre as raridades ornitológicas, temos o gavião real, a arara e o papagaio, considerado bastante primitivo.

120–121 *The long and powerful orange-yellow bill (whose function ornithologists have not yet understood) makes the toucan an unmistakable bird, one of the most likable inhabitants of the forest. Among the ornithological rarities there are the harpy eagle, the macaw and the hoazin, a bird that is considered particularly primitive.*

122–123 Um jacaré abre sua amedrontadora mandíbula: sempre à espreita, pronto para atingir a sua vítima quando ela menos espera. Esse animal é o lorde dos rios e pântanos. Os índios são habilidosos caçadores de jacarés e são capazes de determinar o seu tamanho antes de atacá-lo. Os menores são atacados durante a noite, ao longo das margens, com as mãos: uma técnica espetacular e perigosa.

122–123 *A caiman spreads its frightful jaws: always lying in ambush, ready to strike when the victim least expects it, perhaps while slaking its thirst, this animal is the true lord of the rivers and swamps. The Indians are skilful hunters of caimans, and are capable of determining the length of the beast before attacking it. The smaller specimens are caught by night, along the banks, by hand: a spectacular and often very dangerous technique.*

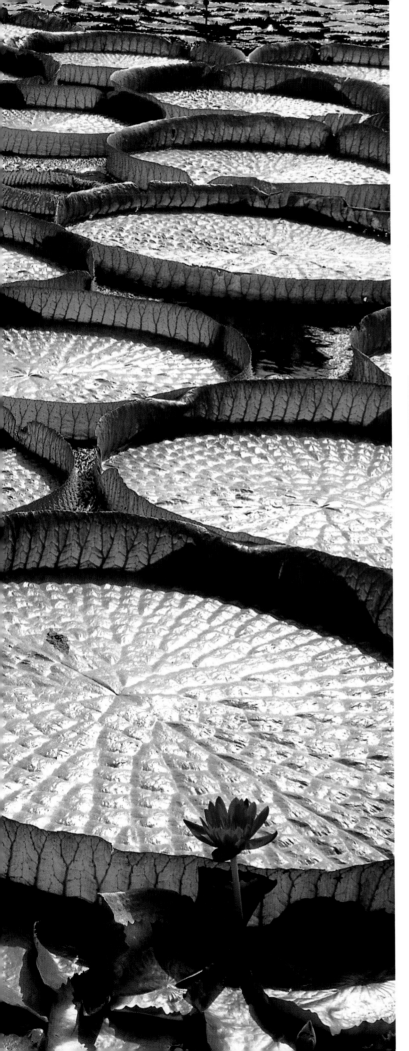

124–125 Nas partes mais calmas das águas, é possível avistar as elegantes e verdes plantas, presentes em muitas variedades, conhecidas como vitórias-régias, e que podem alcançar até três metros e meio de diâmetro. É possível ver também flores vermelhas e brancas, um grupo que inclui mais de 15.000 espécies de orquídeas.

124–125 *In the quieter bodies of water, one can see the elegant, green, rounded floating forms of water lilies, present in all their many varieties, known as Victoria regia, which can grow to be over two yards in diameter. One can also see, in the half-light, red and white flowers, such as the heisteria or airplants, a group that includes more than fifteen thousand species of orchids.*

126–127 Garças brancas e íbises com bicos pretos estão no seu ambiente preferido, águas calmas, onde se alimentam de pequenos peixes e crustáceos.

126–127 *White egrets and scarlet ibises with black bills stand in their chosen environment, a pond of still water, where they feed on little fish and crustaceans.*

128 O olhar inquiridor e o tímido sorriso de uma garotinha da tribo ianomami.

128 *The inquisitive gaze and timid smile of a girl from the Yanomami tribe.*

Dados Internacionais de Catalogação na Publicação (CIP)
(Câmara Brasileira do Livro, SP, Brasil)

Taliani, Alberto
    Brasil = Brazil: português-inglês/portuguese-english/
texto/text Alberto Taliani; [tradução Eli V. Coslovsky;
Ana Paula G. Spolon]. – 2.ed.
Barueri, SP: Manole, 2007.

    Título original: Brazil
    Edição bilíngüe: português/inglês
    ISBN 978-85-204-2616-6

    1. Brasil – Descrição e viagens 2. Brasil – Fotografia
3. Turismo – Brasil I. Título.

07-1081   CDD-918.1

Índices para catálogo sistemático:
1. Brasil : Descrição e viagens 918-1

Crédito das fotos:
Peter Adams / Sime Photo / Sie:
páginas 2–3.
Zeka Arauso / N Imagens:
página 54.
Yann Arthus-Bertrand / Corbis:
páginas 28-29.
Ricardo Azoury / N Imagens:
páginas 34 acima, 72–73.
*Erwin e Peggy Bauer / Bruce
Coleman:* página 93.

Photo credits:
Peter Adams / Sime Photo / Sie:
pages 2-3.
Zeka Arauso / N Imagens:
page 54.
Yann Arthus Bertrand / Corbis:
pages 28-29.
Ricardo Azoury / N Imagens:
pages 34 top, 72-73.
*Erwin and Peggy Bauer / Bruce
Coleman:* page 93.

Nair Benedicto / N Imagens:
contra-capa, páginas 12–13, 20–21,
33 abaixo, 62, 63, 64–65, 76–77.
Gabriele Boiselle / Archiv Boiselle:
páginas 74–75, 75 (acima e abaixo).
Susan Cunningham: página 85.
Pietro Cenini / Marka Collection:
páginas 42, 43 acima, 46–47.
*Richard Coomber / Planet Earth
Pictures:* página 115.
S. Cordier / Explorer: páginas 119, 120.
James Davis / Eye Ubiquitous / Corbis:
página 29 abaixo.
Nicholas de Vore / Bruce Coleman:
página 26 acima.
Lou Embo / Overseas:
páginas 48–49.
Douglas Engle / Corbis:
páginas 90, 90–91.
Francisco J. Erize / Bruce Coleman:
página 118.
Andrea e Antonella Ferrari:
páginas 11, 121, 122–123, 125 acima.
Foschi / Focus Team: páginas 94, 94–95.
M. Friedel / Grazia Neri:
página 55 direita.
Manfred Gottschalk / Apa Photo Agency:
páginas 6–7, 36–37, 100–101.
Hans Gerold Laukel: páginas
106, 117, 126, 126-127.
Gunter Grafenhain / Sime / Sie: páginas
34–35, 44-45, 46.
Reto Guntli / Arcaid.co.uk: página 9.
Heeb / Laif / Contrasto: página
43 abaixo.
Maurizio Leigheb: páginas 8, 31 (acima
e abaixo), 52 acima, 79 acima, 82
esquerda e direita, 83 abaixo, 86, 87
acima e abaixo, 88 esquerda e direita,
89 esquerda e direita, 90, 92-93, 98–99.
Ricardo Malta / N Imagens:
página 92 abaixo.
Luiz Cláudio Marigo / Bruce Coleman:
páginas 4–5, 80, 81, 96–97, 102–103,
106-107, 108-109, 116, 125 abaixo.
Saulo Petean / N Imagens: página 84.
M. R. Phicton / Bruce Coleman:
páginas 110–111.
Piepenburg / Laif / Contrasto:
página 45.
Jean Charles Pinheira: páginas 1, 14,
15 (acima e abaixo), 16, 17, 18–19,
22–23, 24–25, 26 abaixo, 27, 32–33, 33
acima, 34 abaixo, 38, 39, 40–41, 48, 52
abaixo, 53, 55 esquerda, 58, 59, 60
(acima e abaixo), 61, 68 (acima,
esquerda, direita e abaixo), 69, 70–71,
73 esquerda e direita, 78, 79 abaixo, 83
acima, 92 acima, 128.
Fritz Poelking / Agefotostock / Contrasto:
páginas 104–105.
Eckart Pott / Bruce Coleman:
páginas 124-125.
Vittorio Sciosia / Marka Collection:
páginas 66–67, 67.
Doug Scott / Agefotostock / Marka:
página 29 acima.
Tatlow / Laif / Contrasto: páginas 56-57.
The Cover Story / Corbis: páginas 50–51.
M. Wendler / Overseas: páginas 30, 109,
112–113
Gunter Ziesler / Bruce Coleman:
página 114.

Nair Benedicto / N Imagens:
back cover, pages 12–13, 20–21,
33 bottom, 62, 63, 64–65, 76–77.
Gabriele Boiselle / Archiv Boiselle:
pages 74–75, 75 (top and bottom).
Susan Cunningham: page 85.
Pietro Cenini / Marka Collection:
pages 42, 43 top, 46–47.
*Richard Coomber / Planet Earth
Pictures:* page 115.
S. Cordier / Explorer: pages 119, 120.
James Davis / Eye Ubiquitous / Corbis:
page 29 bottom.
Nicholas de Vore / Bruce Coleman:
page 26 top.
Lou Embo / Overseas:
pages 48–49.
Douglas Engle / Corbis:
pages 90, 90–91.
Francisco J. Erize / Bruce Coleman:
page 118.
Andrea and Antonella Ferrari:
pages 11, 121, 122–123, 125 top.
Foschi / Focus Team: pages 94, 94–95.
M. Friedel / Grazia Neri:
page 55 right.
*Manfred Gottschalk / Apa Photo
Agency:* pages 6–7, 36–37, 100–101.
Hans Gerold Laukel: pages
106, 117, 126, 126-127.
Gunter Grafenhain / Sime / Sie: pages
34–35, 44-45, 46.
Reto Guntli / Arcaid.co.uk: page 9.
Heeb / Laif / Contrasto:
page 43 bottom.
Maurizio Leigheb: pages 8, 31 (top
and bottom), 52 top, 79 top, 82 left
and right, 83 bottom, 86, 87 top and
bottom, 88 left and right, 89 left and
right, 90, 92-93, 98–99.
Riccardo Malta / N Imagens:
page 92 bottom.
Luiz Claudio Marigo / Bruce Coleman:
pages 4–5, 80, 81, 96–97, 102–103,
106-107, 108-109, 116, 125 bottom.
Saulo Petean / N Imagens: page 84.
M. R. Phicton / Bruce Coleman:
pages 110–111.
Piepenburg / Laif / Contrasto:
page 45.
Jean Charles Pinheira: pages 1, 14,
15 (top and bottom), 16, 17, 18–19,
22–23, 24–25, 26 bottom, 27, 32–33,
33 top, 34 bottom, 38, 39, 40–41, 48,
52 bottom, 53, 55 left, 58, 59, 60 (top
and bottom), 61, 68 (top, left, right and
bottom), 69, 70–71, 73 left and right,
78, 79 bottom, 83 top, 92 top, 128.
Fritz Poelking / Agefotostock / Contrasto:
pages 104–105.
Eckart Pott / Bruce Coleman:
pages 124-125.
Vittorio Sciosia / Marka Collection:
pages 66–67, 67.
Doug Scott / Agefotostock / Marka:
page 29 top.
Tatlow / Laif / Contrasto: pages 56-57.
The Cover Story / Corbis: pages 50–51.
M. Wendler / Overseas: pages 30, 109,
112–113.
Gunter Zieslev / Bruce Coleman:
page 114.